АЛЕКСАНДР БУШКОВ

ПОД СОЗВЕЗДИЕМ СЕВЕРНЫХ «КРЕСТОВ»

Издательский Дом «Нева»
Санкт-Петербург
Москва
2005

ББК 84 (2Рос-Рус)6
Б90

Бушков А.

Б90   Под созвездием северных «Крестов»: – СПб.: Издательский Дом «Нева», 2005. – 320 с.
ISBN 5-7654-4239-0

Кто мог подумать, что не закончились еще злоключения Алексея Карташа – героя бестселлеров «Тайга и зона», «Ашхабадский
вор», «Сходняк»? После того, как он и его друзья открыли тайну
подпольного платинового прииска в сибирской тайге, спасли от
покушения президента Туркменистана и остановили воровскую
войну в Шантарске, – после всех этих мытарств Карташу просто
необходим отдых. И он действительно отправляется в отпуск – в
Петербург. Однако эта туристическая поездка оборачивается для
Алексея сущим кошмаром: по обвинению в преднамеренном убийстве он попадает в знаменитые «Кресты».

ББК 84 (2Рос-Рус)6

ISBN 5-7654-4239-0

издательский дом
10 НЕВА
лет
с Вами!

Друзья мои!

Десять лет – срок немаленький и говорит о многом. За десять лет вы сумели не только удержаться на плаву в бурном океане российского бизнеса, но и за время плавания вырасти из крохотного шлюпа в гордый фрегат под названием «Нева». Значит, корабль был построен грамотно, и команда подобралась отличная. Это ли не счастье? С Днем рождения и долгого плавания!

Александр Бушков

А. Бушков

РОМАНЫ ОБ АЛЕКСЕЕ КАРТАШЕ

Тайга и зона
Ашхабадский вор
Сходняк   в продаже
Под созвездием северных «Крестов»

Б. К. Седов

РОМАНЫ О ЗНАХАРЕ

О судьбе врача, не изменившего клятве Гиппократа
ЗНАХАРЬ

Путевка в «Кресты»
Рывок на волю
Месть вора

Об удаче, которая не приходит дважды
ВОРОВСКОЕ СЧАСТЬЕ

Рок
Фарт
Удача

Когда любовь сильнее смерти и закона   в продаже
ВОРОВСКАЯ ЛЮБОВЬ

Без Веры
Без Надежды
Без Любви

О настоящей дружбе, чести и любви
ВОРОВСКАЯ КОЛОДА

Король Треф
Валет Бубен
Дама Пик

**ЗНАХАРЬ. ВОЗВРАЩЕНИЕ
В «КРЕСТЫ»**

От судьбы не уйдешь
ВОРОВСКАЯ СИБИРЬ

Отшельник | в продаже
Отступник | выход – 2005 год
Заложник

РОМАНЫ О ТАМАРЕ АСТАФЬЕВОЙ

Ее предали, но она отомстила
ЖЕСТОКИЙ РОМАН

Пленница
Мстительница   в продаже
Наследница

РОМАНЫ ОБ АРТЕМЕ ГРЕКОВЕ

Бои за колючей проволокой
ГЛАДИАТОР

Судьба и воля
«Матросская тишина»   в продаже
Волк среди воров

РОМАНЫ ОБ ИВАНЕ ТАРАНОВЕ
Легенды и правда о «Владимирском централе»
«ВЛАДИМИРСКИЙ ЦЕНТРАЛ»

Друг	
Зэк	в продаже
Каратель	

РОМАНЫ О ЛИКЕ КОРОЛЕВОЙ
Слишком жестока. Слишком опасна. Слишком умна
КИЛЛЕРША

Я не хотела убивать	
Я ненавижу	в продаже
Я люблю	

РОМАНЫ ОБ АЛЕКСЕЕ КОСТЮКОВЕ
Настоящий боец никогда не сдается
ВОРОВСКАЯ ВОЙНА

Кастет. Первый удар	в продаже
Кастет. Правила боя	
Кастет. Один против всех	выход – 2005 год

БОЕВИКИ О БЫВШЕМ ЗЕКЕ ПО ПРОЗВИЩУ
ТАГАНКА
Твоя игра — мои правила
ТАГАНКА

Мэр в законе	
Месть в законе	в продаже
Крест в законе	

БОЕВИКИ О КУЛЬТУРИСТЕ ВЛАДЕ НЕВСКОМ
ПО ПРОЗВИЩУ РЭМБО
Рэмбо — первая кровь
Я – БАНДИТ

Культурист	в продаже
Бригадир	
Авторитет	выход – 2005 год

А. Новиков

ВОЙНА С СУДЬБОЙ
Пройти сквозь ад, но остаться человеком

Охотник	
Мститель	в продаже
Палач	

С. Майоров

Вся жизнь – это ринг

Чемпион	
Бизнесмен	в продаже
Олигарх	

Все персонажи, равно как некоторые события и эпизоды романа вымышлены... Чего нельзя сказать о месте действия. А любые неточности – суть оплошности автора и требования капризного сюжета.

Тюрьма, ну что это такое, в конце концов? Недостаток пространства, возмещенный избытком времени. Всего лишь.

И. Бродский

Был безумным, был спокойным,
Подсудимым и конвойным...

«Сплин»

Часть первая

КРЕСТИКИ-НОЛИКИ

Глава I

И СЛЫШЕН НАМ НЕ РОКОТ
«АВТОЗАКА»...

Подследственного Алексея Карташа, подозреваемого в двойном убийстве по статье сто седьмой, часть вторая, везли на «автозаке» в следственный изолятор – тюрьму, то бишь. Где он должен будет содержаться вплоть до постановления суда.

Вот так.

Но что не говори, а все могло быть еще печальней – например, если б Карташ влез в это дело по доброй воле. А влезть он мог, будь у него возможность выбирать и сделай он при этом неверный выбор. Но ведь выбора ему не оставили! И теперь приходится признать: ну и слава богу, что не оставили. Меньше бесплодных терзаний, заламывания рук, кусания локтей и самобичевания. Все равно уже ничего не поправишь. Кино, как говорится, взад не пустишь.

Хотя со стороны могло сложиться впечатление, что на Алексея никто не давил, что с ним обходятся со всеми предупредительностью и обходительностью, как с дорогим гостем и свободным человеком... Формально так оно, наверное, и выглядело. Но, господа, сколь часто форма бывает обманчива! Достаточно вспомнить радушные улыбки и ласковые слова, какие расточали Алексею Карташу в Туркменистане некоторые его тамошние знакомцы, – при этом вдумчиво размышляя лишь над тем, как бы половчее всадить кинжал в брюхо «дарагому гостю»...

Строй невеселых дум нарушила песенка. Кто-то из *соседей* по «автозаку», в котором сидел и подследственный Алексей Карташ, с той стороны решетки напряженно прохрипел:

> – И снится нам не рокот космодрома,
> Не эта ледяная синева...

Ну чисто Промокашка, выходящий из подвала в ласковые объятья Жеглова и исключительно для понтов горланящий: «А на черной скамье, на скамье подсудимых...»

Тьфу...

Ну да, так оно обычно и бывает. Зацепит, как крючком, какая-нибудь мелочь и развернет твои мысли совсем в другую сторону. Так получилось и сейчас: мелочью стал припев этой незамысловатой песенки. Несколькими днями ранее (а честно говоря – в другой жизни) Карташ уже слышал этот припев, правда, в чуточку более мелодичном исполнении. И тоже, что характерно, слышал от соседа – в тот раз соседа не по «автозаку», а по салону самолета.

Когда шасси «Тушки» оторвались от взлетно-посадочной бетонки Шантарского аэродрома, лысый, как шар, полнотелый живчик, занимающий кресло впереди Карташа, вдруг негромко затянул: «И снится нам...». Видимо, полеты для живчика не были обыденностью, вот и нахлынули романтические чувства в момент отрыва от грешной тверди. По совести говоря, Карташ и сам был недалек в тот миг от того, чтобы запеть. Отменным у него тогда было настроение...

Эх, крутануть бы колесико машины времени, вновь вернуться на ту самую отметку и переиграть заново. Как поется уже в другой песне, более подходящей случаю: «Зачеркнуть бы всю жизнь, да сначала начать». Всю не всю, но последнюю неделю Карташ бесспорно зачеркнул бы, рука б не дрогнула...

Однако в момент набора высоты самолета, совершающего беспосадочный перелет по маршруту Шантарск – Санкт-Петербург, Карташ будущего своего знать не мог. Зато настоящее же представлялось прямо-таки замечательным, хоть и вправду песню запевай. Он с Машей (боевая подруга сидела в соседнем кресле, возле иллюминатора, за которым проплывала сахарная вата облаков) летели в Питер отдыхать. И неважно, что формально они отправились вроде как на задание. По сути, это был самый настоящий, формешный отдых, более того: что-то типа свадебного путешествия... Ну, предсвадебного путешествия, если уж подходить к терминологии со всеми скрупулезностью и дотошностью. Действительно, какое может быть свадебное путешествие у невенчанных-неженатых?

– Судя по блаженному выражению вашего лица, товарищ самый старший лейтенант, вы фантазиями пребываете сейчас не иначе, как в мужском раю? – спросила тогда Маша, склонившись к его плечу. – В окружении каких-нибудь блондинистых нимф и прочих гурий крайне доступного поведения, не так ли?

– Глупости говорите, товарищ женщина, – в тон ей откликнулся Карташ. – Размышлял ж я всеми силами своего мозгового аппарата, да будет вам известно, над тем, а не слишком ли наше с вами путешествие напоминает свадебное?

– Тема, признаться, интересная, – протянула Маша. – Надо как-нибудь вернуться к ней на досуге, развить и углубить. Прямо скажу, не ожидала от вас подобной серьезности и глубокомысленности...

– А мы завсегда углубляем глубокомысленно, – назидательно сказал Карташ.

Машка огляделась, и в глазах ее вдруг заплясали джигу озорные черти.

– Тогда отчего же – «как-нибудь»? Не желаете ли углубить безотлагательно?

– В смысле?..

– Медленно-медленно поднимаешься через минуту после меня, – она наклонилась к самому его уху, и Алексей почувствовал ее щекочущее дыхание, – и следуешь в хвост ероплана. Там такие милые кабинки находятся – из тех, что предназначены исключительно для размышлений в полном одиночестве... или в парном. Уловили намек, мистер Бонд?

– Джеймс Бонд, – серьезно поправил Карташ.

И беспрекословно выполнил ее задание.

В последний раз...

В общем, и у Маши настроение было превосходное, она тоже связывала с посещением Питера исключительно приятные ожидания.

«Путевку в Питер» они получили за два дня до вылета. Оба все еще гостили в загородном доме Данилы Черского... Хотя – поди определи безусловно точно, чем являлось их пребывание в этом доме: гостеванием, залечиванием ран или отбыванием срока на зоне нестрогого режима? Наверное, чем-то средним.

Бежать в голову не приходило. Во-первых, это не так-то просто было сделать, дом охраняли ненавязчиво, но надежно. Во-вторых, бегут не только откуда-то, но еще и куда-то, а им бежать было совершенно некуда. Да и незачем. В-третьих, за последние месяцы они набегались так, что хватит на весь остаток жизни. Они как раз-таки и наслаждались покоем. В кои-то веки представилась возможность спокойно лежать в кровати, а не нестись куда-то стремглав через пески или болота. Наконец-то можно было расслабиться, не беспокоясь, что в дверь могут вломиться преследователи или в окно влетит граната. Наконец-то можно было заняться тем, что обычно происходит между здоровыми мужчиной и женщиной, когда они остаются наедине, – в чистой, пахнущей лавандой постели, в тишине и покое... Черт подери...

Черт подери и елки-палки! Карташу только здесь, в особнячке, пришло это в голову: если вдуматься и вспомнить, то с Машкой он *вообще ни разу* не занимался любовью в приличествующих для сего условиях, то бишь на кровати да на свежих простынях! Места для любовных игрищ попадались все больше экзотические да экстремальные: рояль, не шибко стерильный душ на безымянном полустанке по дороге в Туркмению, кладовая в заброшенном городе, полузатопленный «верещагинский» баркас (хотя нет, на баркасе была не Маша, но это не суть важно), еще что-то, к романтике ничуть не располагающее... В общем, форменная половая эксцентрика выходила, а не нормальные сексуальные отношения. Машка, судя по всему, пришла к таким же выводам – и здесь, в загородном домике Черского они занимались любовью иступленно, яростно, ненасытно, как будто в первый раз. Или как будто в последний, как будто завтра с утреца их должны повести к стенке...

Словом, обитали они как у Христа за пазухой, как говорится, на полном соцобеспечении. Да и хозяин-барин Черский не донимал их назойливыми визитами. Собственно, с тех пор, как Карташ переговорил с ним после возвращения в сознание, Данил всего-то один раз и наведывался в свое загородное поместье.

Может быть, от сытой размеренной жизни на них вскоре и напала бы скука. Да, вишь ты, не дали им дожить до скуки. В один из дней первой половины октября в ворота въехал джип, из которого вместе с Черским выбрался еще один знакомый Карташу человек. Этот человек уже однажды вламывался в жизнь Карташа, как кабан в камыши, и воспоминания о той встрече Алексей никак не мог причислить к приятным. С той самой их встречи все у Карташа, Грини и Маши окончательно и бесповоротно пошло наперекосяк. Но никакого зла на генерал-майора Кацубу бывший (ну да, наверняка уже бывший) старший лейтенант ВВ не держал.

Через час они вдвоем с Кацубой отправились не куда-нибудь, а на рыбалку. Оказывается, в километре от дома Черского протекала лесная речка. На ее берегу, отыскав просвет среди облепивших воду кустов, они устроились с максимальным рыболовным комфортом: на складных брезентовых стульчиках, расстелив на земле газету и придавив ее приятной тяжестью литровой водочной бутыли, буханкой хлеба и вскрытыми консервами. Ну и, конечно, для полного порядку забросили в реку удочки.

— Видишь, как я прав, старлей, — наклонившись, Кацуба достал из кармашка рюкзака сигареты. — В кои-то веки выдалось свободное время, так почему же не отдохнуть как следует? По-нашему, по-бразильски? Поймать простого русского окунька, сварганить из него ушицу, закусить ею простую русскую водку. Давай разливай, старлей, — Кацуба показал на бутылку шведского «Абсолюта». — Ничего не попишешь, традиция. Хошь не хошь, а пей! Какая же иначе тогда у нас с тобой рыбалка будет? И поглядывай на поплавок, старлей. Не забывай, зачем мы здесь на самом деле. На самом деле, япона мать, мы рыбу ловим.

Хлопнули по первой из пластиковых стаканчиков, задымили.

— Хорошо сидим... — сказал Кацуба, по-кошачьи щурясь. — Эх, плюнул бы на все, ушел на пенсию, вот так и сидел бы целыми днями, а потом приходил домушки и засыпал перед телевизором, вытянув ноги в стоптанных тапках... Вот оно, счастье-то, да? А чего, спроси, мне мешает так зажить? И я тебе отвечу. Беспокойство натуры мешает, старлей, оно, проклятое... А как у тебя с беспокойством натуры, кстати?

— А хрен его знает, — поразмыслив, сказал Алексей чистую правду.

В общем-то, Карташ прекрасно понимал, что генерал-майор, чем-то неуловимо похожий на кота, играет с ним сейчас, словно с мышкой. Однако тут уж деваться некуда: как говорится, попала собака в колесо, пищи, но бежи.

– А ты ответь, как думаешь, – сказал Кацуба. – Думаешь же ты сейчас, соколик, как пить дать, о том, с каких это щей цельный генерал-майор отправился рыбачить со старлеем, который вдобавок то ли бывший кадровый офицер, то ли еще действующий, пес его разберет. Дескать, как такие чудеса понимать и как на них реагировать? Или возгордиться: во, де, как меня ценят, во какой я ценный фрукт! Или все же испужаться, а ну как столь ответственный товарищ прибыл сюда решать непростой вопрос: списать ли беспокойного авантюриста-вэвэшника в расход или все же взять его в работу?

Карташ помолчал, а потом, тщательно взвешивая слова, сказал:

– Почему-то ситуация видится мне более простой. Некому генерал-майору поручено руководство некой операцией. И ему нужны исполнители. Возможно, ему нужны как раз люди, не засвеченные в связях с вашим... э-э... ведомством. Ну, а так как генерал-майор привык все сполнять самотужки и человек он в высшей степени острожный и недоверчивый, то он отправился лично прощупать одного из кандидатов – на предмет подходит ли тот к делу. К тому же, посылать кого-то из подчиненных – значит расширять круг посвященных, что всегда нежелательно...

– Ишь ты какой догадливый сукин сын выискался, – с непонятной интонацией произнес Кацуба, не по-рыбацки бросив окурок в воду. – Все-то он знает, до всего своим умом доходит, комбинации хитрожопые, понимаешь, строит. Достроился уже! Джеймс Бонд недоделанный, «жентельмен удачи», блин! За твои проказы тебя, по-хорошему, следовало бы плетьми драть

15

на конюшне, покуда кости сквозь мясо не забелеют. И ежели выживешь после этого, только тогда с тобой можно иметь дело... Наливай, давай, по второй, чего сидишь-жмешься, как семиклассница в первый раз у гинеколога, как призывник на медкомиссии! Ах ты, мать твою, чуть не прозевал тут с тобой...

Кацуба схватил удилище, резко подсек, но рыбина сорвалась с крючка, ослепительно сверкнула на солнце чешуей и шлепнулась обратно в свою водную стихию.

– Не везет мне в рыбалке, – вздохнул Кацуба. – Наверное, повезет в любви. Вот, кстати, о любви...

Он залпом осушил пластиковый стаканчик с «Абсолютом», аппетитно крякнул и чуть погодя вновь заговорил:

– Представь себе на мгновенье, старлей, что мне больше нечего делать, как только беспокоиться об устройстве твоей личной жизни. Я вот и беспокоюсь. Хочу ее, понимаешь, устроить. Для чего отправляю тебя в город трех революций, город, понимаешь, на Неве и Северную, етить ее, Венецию – гулять и развлекаться. Поедешь, вернее, полетишь, вместе со своей кралей-дролей. Причем шикарно загужуете там, я тебе скажу, аж завидки берут. Жить будете в гостинице, станете фланировать по Невскому, по Эрмитажам слоняться, по-над речкой Невой все той же гулять... И за что, спрашивается, кому-то такое счастье? Короче, вытащил ты счастливый билет с надписью медовая декада, поскольку эта лафа протянется аж десять дней. И попробуй после этого не женись на девушке, как честный человек, я те самолично все женилки пооборываю заместо ейных братьев и отцов... Что-нибудь имеешь возразить по существу, старлей?

– По существу, конечно, возразить нечего, – аккуратно сказал Карташ. – Однако хотелось бы увидеть картину маслом во всей, так сказать, полноте...

– Во всей полноте, говоришь, – повторил Кацуба. – Значит, не веришь в чистоту помыслов. А напрасно. Между прочим, единственная малость, которая от вас с кралей потребуется – жить по расписанию, составленному не ею и не тобой. И от этого расписания не отклоняться ни на полдюйма. Ну, к примеру, в первый день питерского вояжа вы оба должны будете с такого по такой-то час отсидеть, допустим, в кафе «Гастрит», за третьим столиком слева от входа. Отсидели сколько нужно – и свободны до вечера, но вечером должны пошлепать на балет и смотреть его обязательно из ложи бельэтажа из кресел номер семь и восемь, а в антрактах непременно обязаны иттить в буфет и там попивать исключительно коньяк с шоколадными конфетами. И так далее. Короче, не задание, а сказка. Никаких погонь, заметь, и перестрелок... Ну, и вторая есть малость, о которой, впрочем, и заикаться-то смешно, потому как сам знаешь: ни при каких обстоятельствах, нигде, ни с кем, даже в постельке друг с дружкой, даже если я самолично приеду и полезу к тебе со слюнявыми объятиями – так вот ни ты, ни зазноба твоя не должны хоть взглядом обмолвиться, будто выполняете чье-то там поручение. Видишь, боец, сколь мало я прошу... После заучишь назубок, как пионер присягу, весь график своего движения. Вопросы есть? Или пожелания с предложениями? Или, может, хочешь наотрез отказаться?

Отказаться Карташ, может, и хотел бы – вовсе не тянет впутываться в чужие игры и плясать под

17

чужую дудку. Но деваться было некуда: пришло время оплачивать счета. Нет, откажись он сейчас наотрез вести дела с Кацубой и его ведомством – никто не станет неволить и запугивать. Просто от него самого *откажутся*, его оставят без «крыши» над головой, один на один со всеми проблемами, разбирайся, мол, сам, с тем, что наворотил, и с теми, кого обидел. Добро бы дело касалось одного Карташа, но ведь оно и Машки касается не в меньшей степени...

– Да какие там вопросы, – сказал Алексей, снова закуривая. – Что мне положено знать, и так скажут, а что не положено, выведать все равно не удастся... Но один вопросец, пожалуй, все-таки задам. А дальше-то что, товарищ генерал-майор? Спустя означенные десять дней?

– Правильно подходишь к ситуации, старлей. Сразу вдаль смотришь, в необъятное завтра, – сказал Кацуба, сам себе наливая водочки в пластиковый стакан. – За это не буду отделываться общими фразами – дескать, поживем-увидим, завтра будет завтра и все в таком духе. Выскажусь вполне определенно. Имеешь право узнать, за что тебе стараться.

Поставив пустую пластиковую тару на газету, Кацуба закурил и продолжил:

– Вот ты кто такой сейчас есть? А никто. Отверженный, как говорил про таких товарищ Гюго. В твоих родных «вэ-вэ» ты числишься пропавшим без вести, погнавшимся за беглыми зэками и сгинувшим в тайге. И этот, извиняюсь, статус-кво тебя должен только радовать безмерно. Потому что если ты вдруг внезапно объявишься, живой и веселый, то у твоих командиров появятся к тебе вопросы, и среди этих вопросов приятных не будет ни единого. Ну и не мне тебе напоминать, что вэвэшные командиры – наименьшее из зол, что могут свалиться на твою ничем не прикрытую голову...

Кацуба вытащил удочку, опустил крючок на ладонь, придирчиво осмотрел наживку, недовольно покачал головой, но ничего не стал делать, только плюнул на червя – на удачу по рыбацкому суеверию – и закинул снасть обратно.

– Короче говоря, ежели все у нас пойдет тип-топ, то оформим мы тебе тихое, мирное увольнение из рядов. Российский паспорт мы тебе уже сварганили, заметь – безвозмездно, потом полюбуешься. Соответственно подчистим и твою биографию. Например, таким образом: ты, наблукавшись по тайге, не в шутку занемог и по этому поводу долго валялся в беспамятстве в одной из районных больничек. Тогда ты у нас выйдешь в отставку форменным героем – как же, потерял здоровье на службе родине. Опять же, если не согласен с подобной перспективой – живи как нравится. Но есть, старлей, такое хорошее, заманчивое слово: «внештатник». В нем слышится и надежда на долгосрочное сотрудничество.

– Уж не про Туркмению ли последний намек? – хмыкнул Карташ. – Насколько я понимаю, интересы вашей конторы расположены главным образом за пределами отечества. А поскольку из тех пределов я смогу пригодиться наилучшим образом как раз в Туркмении...

– А это, дорогой мой, разговор уже для другой рыбалки, – перебил Кацуба. – Сейчас же вернемся к городу-герою Ленинграду, в который тебе выезжать уже послезавтра. И вообще у тебя давно уже клюет, старлей, а ты сидишь ушами хлопаешь...

Вот откуда взялись на борту самолета, выполняющего рейс Шантарск – Санкт-Петербург, двое пассажиров, мужчина и женщина. Оба летели абсолютно легально, по своим документам – не шпиены же, чай, какие-нибудь и не террористы. Их багаж, состоявший из спортивной сумки и чемодана, не смог бы заинтересовать ни правоохранительные службы, ни воров – одно безобидное шмотье, обычное для туристов. В общем, со всех сторон туристы как туристы. Даже в мыслях ничего авантюрного и уж тем паче криминального.

Маша восприняла известие о поездке в Питер с прямо-таки философическим безразличием. Ни обрадовалась, ни опечалилась, словно эта поездка давно значилась в ее ежедневнике. Да и вообще, Маша переменилась после всего, что с ними произошло. Наверное, и не могло быть иначе – когда молодая девушка, совсем девчонка, попадает в такую мясорубку, она вряд ли останется прежней. Рано или поздно облетит, как тополиный пух, романтическая шелуха, в голове что-то обязательно щелкнет и переменится взгляд на мир. И тут обычно происходит одно из двух. Или человек становится законченным циником, или к нему приходит спокойное понимание простых, извечных истин, например, таких: первая – если хочешь выжить, забудь о сантиментах и действуй так, чтобы сдох не ты, а враг; и вторая – за просто так делиться с тобой никто ничем не намерен, зато любой с удовольствием поживится за твой счет, и это нормально, и ты такой же, поэтому надо договариваться с людьми по принципу «я тебе, ты мне»... ну и далее в таком же духе. До простых истин всегда тяжело добраться – уж больно много всякого хлама нагромождено поверх.

Карташ надеялся, что происходящее с Машей – как раз и есть та самая переоценка себя и мира... хотя бы потому, что ему не хотелось, чтобы это было нечто другое. Хотя бы из-за того, чем они занимались в туалетной комнатке *ероплана*.

И тут резкий крен «ЗИЛа»-«автозака» вышвырнул его из мира воспоминаний.

Глава 2

С ПОМЕТКОЙ «БЭ ДРОБЬ ЭС»

Оказывается, левым передним колесом «автозак» вдруг ухнул в коварно припорошенную снежком колдобину меж трамвайных рельсов, – да так смачно, что Карташ едва язык не прикусил. Случилось сие, кажется, где-то в районе Литейного моста, некогда носящего имя Александра Второго (о чем знали, главным образом, почему-то гости Петербурга, но уж никак не большинство коренных его жителей), да, скорее всего, возле Литейного, потому что этот маршрут вроде был кратчайшим, но точно Алексей сказать не мог, – не оборудован, вишь ты, «автозак» панорамными окнами для осмотра архитектурных красот города на Неве, а две зарешеченные щели под самым потолком можно было назвать окнами только по недоразумению. Но, в общем, судя по времени в пути, они уже подъезжали...

Мотор натужено взвыл, фургон качнулся на рессорах, выбираясь из ямы, и снова бодро покатил вперед.

Естественно, происшествие вызвало оживление среди десятка *пассажиров*, в течение часа вынужденных довольствоваться тоскливым обществом друг друга в запертой коробке «автозака».

– Эй, шеф, не дрова везешь! – по другую сторону тесного прохода очень натурально возмутился брюнетик в коричневой куртке с лейбом «адидас» – явственно с чужого плеча. – Че гонишь-то?

22

Водила «автозака», конечно, окрика не услышал в своей кабине, но шутка *пассажирам* понравилась: заржали и захлопали. Кто-то от полноты чувств хлобыстнул шутника по плечу. Но восторги, ежели приглядеться, были далеко не искренними – истеричными какими-то. Как смешки в зале, когда на экране очередной Крюгер вполне натурально потрошит очередную второстепенную героиню...

– Это ты на него гонишь, а он просто торопится! – работая на публику, ответил «адидасу» юнец в рваном на плече пуховике. Из дырки, как из распоротой подушки, торчали перья.

– А я-то тут причем? – возмутился «адидас». – Я никуда уже не тороплюсь! И остальные, кажется, тоже... Так, братва?

И снова общий одобрительный ржач в ответ.

Ан нет, еще один, если не считать Карташа, не смеется. Нестарый еще блондинчик, сороковник, не больше, с правильными чертами бледной рожи, обрамленной прической «короткое карэ», сидит возле самой решетки и из-под полуприкрытых век нет-нет да и зыркнет в сторону Алексея, вроде бы просто так, без всякого выражения серых зенок. Типа, любопытно ему, кого ж это на отдельное место определили. В дорогом кашемировом пальто цвета «кофе с молоком», представительный и солидный, но в глазах есть что-то такое... глубинно-яростное. Что-то волчье. Что-то от хищника, который лучше сдохнет от голода, мороза или охотничьей пули в тайге, чем станет жить в зоопарке, как бы там хорошо не кормили и каких бы фигуристых волчиц не приводили на случку... И вроде бы рожа сия Алексею смутно знакома, вроде бы видел ее где-то, и в мозгу, по какой-то неведомой ассоциации, вставал образ эдакого благообразного попика в католическом одеянии, но... но напрягать мозг сейчас не хотелось и не моглось. Мало ли урок он встречал на своем трудовом пути... Однако будет забавно, если этот бледнолицый когда-то давным-давно заточил на вертухая Карташа зуб и теперь попытается оный зуб в него вонзить. Хотя не похоже. Не было во взгляде волчары ни затаенной злобы, ни тоски от того, что посадили в клетку.

Конвоир не вмешивался, на происходящее взирал из-под прикрытых век, философски-отрешенно, как на виденное уже стократно.

И Алексей устало закрыл глаза.

Курить, блин, хотелось зверски. Он прекрасно понимал, что это нервное – за последние четверо суток Карташ изничтожил почти блок сигарет (благо были бабки на кармане и менты их, вот чудо, не помылили), но от осознания этого легче не делалось, и желание наполнить легкие сладким, теплым, успокаивающим дымом не уменьшалось ни на йоту. Напротив: усиливалось, становилось почти невыносимым.

Короче, Карташ сидел, закрывши глаза, хотел курить и изо всех сил старался *выключиться* из происходящего вокруг – из негромких, нервозных реплик товарищей по несчастью, из простуженного рокота мотора... вообще из окружающего мира.

Выключиться не получалось: «адидас», взбодренный удачным заделом на публику, продолжал свои потуги пошутить.

– Эй, оперок, не найдется огонек? – громко вопросил он. И, поскольку никто не ответил, добавил вполне миролюбиво: – А че молчишь, как не родной? Прикурить дай, а? Мы ж теперь, земеля, в одной команде, блин...

Карташ приоткрыл глаза.

«Адидас» смотрел прямо на него.

– Я не опер, – негромко ответил Алексей.

Общаться с «контингентом» ни малейшего желания не было, но и промолчать было нельзя – а то сочтут, что либо боится до усрачки паренек, сидящий в отдельной клетке, либо контингент молча презирает... Контингент, он, конечно, презирал, но теперь, оказавшись с контингентом по одну сторону решетки, это презрение выказывать было, по меньшей мере, глупо.

– Не опер! – искренне удивился юнец в пуховике. – А че ж, брателло, в «стакан»-то* сел? ООР,** что ль? Дык непохож, бля буду...

– Да не дрейфь, мужик, – типа поддержал Алексея «адидас». – С кем не бывает. В крытке «бэсники» тоже живут... если люди нормальные, конечно, а не сучары.

А, ну да: теперь Алексей еще и «бэсник». Бэ-дробь-эс...

Что характерно: на зоне – по крайней мере, в том исправительно-трудовом учреждении под Пармой, где Карташ отмотал в ВВ не один сезон – обращение к незнакомому человеку «мужик» было бы воспринято как оскорбление. А здесь, похоже, это в порядке вещей...

_____

* Одиночное отгороженное место в фургоне «автозака», где перевозят заключенных, общение которых с прочими перевозимыми чревато конфликтными ситуациями.

** Особо опасный рецидивист.

Да-с, господа, товарищи и прочие присяжные заседатели, ко многому еще придется привыкать гражданину Алексею Карташу. Уж казалось бы, все прошел, кем только не побывал за свою недолгую, но неожиданно бурную жизнь... И простым, хотя и подающим надежды литехой-помощником при полковнике-инспекторе ИТУ, и старлеем на зоне, и чуть ли не защитником платинового фонда Родины, и полноценным избавителем Президента Ниязова от покушения плюс всего Туркменистана от гражданской войны, и даже, страшно вспомнить, спасителем Сибири от войны воровской, и внештатным агентом то ли тамошнего отделения, то ли ФСБ, то ли ГРУ, то ли еще какой шарашки*...

И вот теперь... Теперь, как говорится, из князи в грязи. Алексей поглядел на свои отчего-то не скованные «браслетами» запястья, на тесную клетку «стакана», решетками которой он был отгорожен от прочего контингента.

В наручниках или нет, но теперь гражданин Карташ А. А. чапает в тюрьму. А точнее – в знаменитые питерские «Кресты». Самую большую «крытку» по всей Европе, между прочим. Опи́саться можно от гордости.

И чапает он туда посредством банального «автозака». В качестве подследственного. Банального заключенного. В простонародье – зэка. Через мост Александра Второго – в тюрягу, заложенную при Александре Третьем. А что, символичная связь времен, господа... Виноват: граждане начальники.

---

* См. романы А. Бушкова «Тайга и зона», «Ашхабадский вор», «Сходняк».

Такие дела.

«В его душе царила звенящая пустота», или: «Ему казалось, что он спит, что он является всего лишь сторонним наблюдателем, зрителем в кинотеатре, и все происходящее на экране не имеет к нему никакого отношения», – так обычно принято описывать подобное состояние в романах.

А вот хрена вам.

На деле же никакая пустота в нем не царила, и он ощущал себя вполне адекватно обстоятельствам. Он не спал и не обкурился до глюков. Все происходящее происходило с ним, только с ним и ни с кем, кроме него. Никаких иллюзий, надежд, веры и... и любви. Уже – и любви тоже.

Вот так. Бывший старлей Алексей Карташ в одночасье превратился в зэка. В одночасье оказался по одну сторону решетки с теми, кого он усиленно охранял от рывков за эту самую решетку.

Чудны, право слово, дела твои, Господи...

– Не, брат, слышь, в самом-то деле, ты чего в «стакане» сидишь? – не унимался «адидас». – «Бэсников» в «стаканы» вроде уже не садят, не те времена...

Алексей опять прикрыл глаза, а тогда за него вступился один из двоих конвоиров:

– Едальники заткнули все быром, – процедил сержантик сквозь зубы. – Нарываетесь...

– Дык нарвались уже, командир, – скоренько переключил «адидас» на него внимание. – По полной нарвались... Сигареткой бы угостил, а? Когда еще покурить доведется по-людски...

– Я тя щас угощу, – беззлобно пообещал конвоир, не пошевелившись.

На том беседы и прекратились. В отношении курения Карташ был приравнен к *контингенту*. Что ж, ничего удивительного...

Карташа в этот момент более всего беспокоило, правильно ли он вел себя на допросах.

И ежели говорить откровенно, на допросах он вел себя далеко не лучшим образом. А точнее – никак себя не вел. Соглашался не со всем, но и отрицал не все. Хотя не соглашаться, откровенно говоря, было трудновато. Равно как и отрицать. И все же, все же... Как гласит ментовской катехизис: «Раз признался – значит, виновен». И неважно, какими путями из тебя это признание выколочено.

Но ведь никто из Карташа признания и не выколачивал, вот в чем хрень-то вся! Потому как и без выколачивания все было яснее ясного.

Алексей Аркадьевич? Именно. Место рождения? Адрес регистрации? Фактическое место проживания? Место работы?.. И так далее, и тому подобное, нудно и для дознавателя буднично... Рутина, одним словом. Заминка произошла, лишь когда вдруг всплыло в сей задушевной беседе, что Карташ черте сколько прослужил не просто во внутренних войсках, а именно в ГУИНе. Приказа скрывать свое прошлое он от Кацубы не получал – вот и не скрыл.

– Ах, вот оно как, поня-атненько... – и, поколебавшись, дознаватель нарисовал в уголке протокола две буковки, разделенные косой чертой: «б» и «с».

– Да уж куда понятнее... – вздохнул Карташ. И спросил: – А что это вы мне там такое написали?

– А это, Алексей Аркадьевич, – дознаватель был устало-любезен, – означает «бывший служащий». Так, на всякий случай, не то определят вас, вэвэшника, в камеру к отморозам, и ку-ку... – Сохранить лицо Карташу не удалось, и дознаватель, почесав тупым концом ручки намечающуюся плешь, тут же перешел к делу. – Ну-с, приступим. И как же вы, старший лейтенант, докатились до убийства? Рассказывайте, чего ж теперь...

Убийство, ага. Вот тут-то и порылась собака.

Много за что можно было упечь Карташа в крытку, особливо если вспомнить про его похождения по тайге и в Туркменистане... и уж тем более в Шантарске. Но – убийство в Петербурге? Тем более, двойное?! Тем более, убийство, которого он не совершал!

Ну, в общем... кажется, не совершал. Или все же?..

Как ни смешно это звучит, но Алексей *понятия не имел*, убил он кого-нибудь или нет.

Может, убил.

Может, его подставили.

Однако все улики складывались именно так: он застрелил двоих – питерского мачо с серьгой в ухе и его... его...

А, бля...

Около полутора суток Карташ промаялся в ментовке, не спал вообще... и не потому, что злые опера не давали – давали, отчего же, просто не мог уснуть; питался бутербродами с кофе, которыми то ли по доброте душевной, то ли надеясь склонить его к сотрудничеству, угощал мент, уже не дознаватель, другой – следак, наверное, пес их разберет. Душу менты мотали по полной программе, выспрашивали и выпытывали, предъявляли неопровержимые доказательства и показания свидетелей, угрожали, соблазняли послаблением, ежели напишет чистосердечное, в красках рисовали картины пребывания в СИЗО, одна устрашающее другой, – хорошо хоть, ногами по почкам не лупили и в пресс-хату не сажали... наверное, потому, что все и так было яснее ясного. А может, и потому, что Карташ был этим самым, как его – «б/с», «бывшим служащим». «Бэсником». В общем, «бывшим своим».

Пребывая точно в тумане, Алексей рассказал все, что помнил, знал и думал по поводу происшествия в питерской гостинице «Арарат». На словесные провокации не поддавался, протоколы подписывал, лишь внимательно, насколько мог, изучив каждое слово, от убийства, даже в состоянии аффекта открещивался – шел, короче, в глухую несознанку... Но самое паршивое заключалось в том, что где-то в глубине души он готов был согласиться с предъявленным обвинением. Нет, на самом деле, если подумать объективно и беспристрастно, Карташ _действительно_ мог завалить обоих – в том состоянии алкогольного опьянения, в коем он пребывал, совершается фигня и посерьезнее... И даже если опьянение было наркотическим, если его специально накачали какой-то дрянью (а именно так, по всему, и выходило), то сути это не меняло: мог убить, ох, мог. И осознание этого было хуже всего. Было сильнее чувства безысходности, сильнее ощущения _потери_.

Через день его перевели в ИВС* на улице Каляева. Перевели... и четыре следующие дня напрочь вылетели из головы Алексея: все это время он находил-

---

* Изолятор временного содержания.

ся в полуобморочном состоянии. Карташ валился с ног от усталости, но надолго уснуть все равно не мог. Измученный адреналином организм требовал отдыха, но перевозбужденный мозг отключаться упорно не желал. Алексей спал урывками – то проваливался в тревожную дрему, то вновь выплывал в опостылевшую реальность.

Содержащиеся вместе с ним в том изоляторе рассказывали как будто, что замести сюда могут аж на десять суток, однако к вечеру дня четвертого нарисовался конвой, он расписался в какой-то прокурорской бумажке, его и еще нескольких скоренько перегрузили в «зилок», где уже маялись такие же бедолаги, и, – как поется в старинном шлягере: «На нары, бля, на нары, бля, нары...»

А ведь ничто не предвещало грозу, как пишут все в тех же романах. Все начиналось так хорошо, просто, ненапряжно и, главное, от них с Машкой настолько ничего не зависело, что Карташ не чувствовал на себе ни малейшей ответственности за исход дела, суть которого, к тому же, была для него окутана непроницаемой пеленой секретности.

И вновь нахлынули воспоминания...

Глава 3

БУДНИ ШАХМАТНОЙ ПЕШКИ

Там, в самолете, следующим рейсом Шантарск – Санкт-Петербург, он совершенно не представлял себе, в чем состоит высший смысл полученного им от Кацубы задания. Это на киноэкранах или на страницах книг супермены справляются со всем в одиночку: выкрадают секреты, кладут покойничков штабелями, да еще и умудряются попутно охмурить пару-тройку красоток. Нет, никто не спорит, разведчики-одиночки имеются и, не щадя животов своего и чужого, бьются во благо родины, но... Но сколько неизвестных, неприметных, заурядных людей обеспечивают их, одиночек, триумф! Аналитики, техперсонал, наружка, прикрытие, бухгалтерия, шоферы, приманки, связные... да кого только нет! Никто не посвящает таких людей в суть операции, да и вообще ни во что лишнее не посвящает. Им дают конкретные, узко направленные поручения. Скажем, ровно в восемнадцать сорок пять войти в третий подъезд дома пятнадцать по улице Ленина, забрать пакет, спрятанный на втором этаже за батареей, отнести его на улицу Карла Маркса и бросить в первую слева от автобусной остановки урну. Или, допустим, поступает указание припарковаться возле памятнику Пушкину. Не заглушать мотор, держать включенным мобильный телефон, ждать звонка. Если до трех часов четырех минут не позвонят и не скажут, что делать дальше – все, отбой. Отчего да зачем все это делается, исполнителю не сообщается, об этом знают лишь немногие – те, кто планирует и руководит, кто держит в кулаке все нити.

Было бы смешно, если б каждой пешке гроссмейстер объяснял свой замысел: дескать, я пошел тобой для и во имя, а на двадцать седьмом ходу я принесу тебя в жертву, получив взамен инициативу, тактическое преимущество или другую фигуру, если, конечно, от вас, пешка, не последует возражений.

Так вот, одними из таких простых тружеников невидимого фронта или, грубо говоря, пешками и стали Карташ с Машей. Черт его знает, в чем именно состоял их личный вклад в общее дело. Однако жалеть о том, что их втемную используют в неизвестной игре, не приходилось. Потому что они не ползали на брюхе по грязи, не меряли тайгу шагами, не пересекали безводные барханы с чайником на ремне, они, чего уж там греха таить, самым натуральным образом развлекались за чужой, а точнее – за государственный счет.

Из аэропорта они ехали на такси (так было предписано инструкциями, иначе вряд ли Карташ в их нынешнем не шибко жирном финансовом положении выложил бы астрономическую сумму за получасовую поездку по городу). Да и в дальнейшем им предписали жить в Питере на широкую ногу. Местом обитания в северной столице им положили частную гостиницу «Арарат» на улице Артиллеристов, где двухместный номер стоил ни много ни мало шесть тысяч русских рублей в сутки. «Отель имени коньяка», – подумал Карташ.

Отель, как и одноименный армянский коньяк (разумеется, доподлинный, тот, который не во всяком магазине купишь, который и стоит ого-го сколько), качеством соответствовал цене. Находился он в центре города, совсем недалеко от главной туристической тропы – Невского проспекта. Небольшой, номеров на пятьдесят, отель изнутри и снаружи смотрелся дорогой игрушкой: все выскоблено-вылизано, много позолоты, стекла и электрического света, сплошные ковры под ногами и лаковое дерево по стенам, персонал щеголяет в униформе, похожей на обмундирование английских королевских стрелков начала прошлого века. Ну и гнулся персонал перед постояльцами не менее старательно, чем во всяких там «Рэдиссон Славянских».

Им не наказывали канать под естественность, будто всю жизнь они провели среди роскоши. «*Играть ничего не надо, –* инструктировал Кацуба, – а то недолго и сфальшивить. Вы те, кто есть на самом деле. Провинциалы из дремучего угла, которым вдруг привалила нежданная халява. А стало быть, вас равно может занести и на вещевой рынок, и в бутик. Вы можете зайти похавать в «Макдоналдс» или в блинную, а можете и в какой-нибудь дороженный ресторан с золотыми вилками. Короче, вы – скоробогачи, вырвавшиеся из тайги в столицу».

Так они и держались. Согласно полученной вводной. Например, увидев в холле напольные часы размером со шкаф, изображающие башню какого-то собора с фигурами зверей, птиц и апостолов, не стали сдерживать восторженного удивления: «Ого, неужто еще и ходят? И че, работает? Фигурки движутся?». Девушки за стойкой портье, прям-таки сочась любезностью, объяснили им, что все функционирует, хоть вещь и старинная, штучной работы, что все фигурки приходят в движение в назначенный час, а именно в полдень и в полночь.

Ну и, как положено провинциалам, войдя в номер, они с Машей поохали, поахали, упали на аэродромных размеров кровать, опробовали ее на мягкость, повключали-повыключали кондиционер, заглянули в туалет, поахали там, выглянули в окно, обсудили вид на сквер, огороженный чугунной ажурной решеткой, где сейчас, по случаю нудного дождика пополам со снегом, было пусто. Квартиркой на ближайшие десять дней оба остались довольны. А чего еще надо, спрашивается?

Остаток дня они провели тихо и скромно: погуляли по центру, посидели в паре-тройке кафе, зашли в киношку, но сеанс до конца не высидели – потянуло в сон: сказывались перелет и четырехчасовая разница в часовых поясах. Даже выпитый в гостиничном баре черный кофе с коньяком не взбодрил. И в номере, едва повалились на навевающие игривые мысли кровать, они уснули, как после пахоты. Да куда там торопиться и наверстывать – у них впереди было целых десять дней...

Полученная от Кацубы инструкция насчет первой половины следующего дня звучала так: «Сходите в какой-нибудь хренов Эрмитаж или там в Русский музей, короче, куда-нибудь, куда все приезжие обязательно таскаются».

Маша выбрала Эрмитаж, кто бы сомневался. Туда и пошли. К двум часам дня они изрядно намяли ноги в музейных залах, поэтому с нескрываемым удовольствием опустились на стулья в кафе «Бестемьян», что на Малой Морской, неподалеку от Невского. А вот касаемо выбора кафе, времени его посещения и некоторых обстоятельств посещения уже никакого самовольства не допускалось, все было регламентировано: да, столик можно было занять какой угодно и заказать без разницы что, но ровно в четырнадцать десять Карташу вменялось в обязанность выйти в холл и оттуда позвонить с мобильного телефона на определенный федеральный номер (Карташ вынужден был заучить десять цифр), после чего вернуться в зал, через десять минут еще раз выйти позвонить, еще раз вернуться, в темпе расплатиться и уйти.

Понятное дело, Алексей исполнил все в точности. И вышел, и позвонил.

Таинственный номер отвечал длинными гудками. Карташ довольно долго ждал, пока ответят, но дождался лишь автоматического отключения связи, нажал еще раз на вызов — и снова получил длинные гудки. После чего Алексей пожал плечами и вернулся в зал. («О чем и с кем мне говорить?» — интересовался Карташ у Кацубы. — «Твое дело набрать номер и слушать, что там будет в трубке», — ответил Кацуба).

В трубке ничего нового не прозвучало и во второй раз. Те же длинные гудки.

Ситуация была словно позаимствована из шпионских романов. Дорогой кабак, красивая подруга, таинственное поручение и — щекочущее затылок ощущение слежки...

Да, здесь, в кафе, у Карташа впервые возникло чувство, что за ними следят. Кто является источником этих флюидов, определить было затруднительно. Пусть посетителей в кафе в этот час торчало немного, но когда не имеешь соответствующего навыка, нечего и пытаться *вычислять*. Практически в открытую зыркал некий мордатый тип, то и дело наклоняющий над своей рюмкой водочный графин, но его, похоже, интересовала исключительно Маша. И если поверить Кацубе, предупреждавшему, что они будут *работать* без прикрытия, что никто из *своих* за ними наблюдать и их страховать не будет, то...

А ведь, черт побери, Карташ был готов к чему-то подобному! Потому что, спрашивая себя, зачем нужны все эти прописанные доктором Кацубой фокусы, себе же и отвечал: «Да скорее всего затем, чтобы отвлекать на себя внимание». Никакого более подходящего объяснения он не видел.

Представим себе, что в это же самое время другие люди прибыли в Питер, чтобы... ну, скажем так: чтобы провернуть некое важное дельце. То ли эти люди тоже родом из Шантарска и прилететь должны были тем же рейсом, то ли поселиться они должны были в гостинице «Арарат» в номере, что занимают сейчас Карташ и Маша, то ли еще что-то – в общем, ситуация была выстроена так, чтобы Машу и Карташа приняли за других. Кто эти «другие», чем занимаются, чьи интересы представляют и кто ими так сильно интересуется – бескрайнее поле всяческих предположений, куда нечего и влезать без единого факта на кармане.

Однако если версия Карташа насчет отвлечения внимания верна, то рано или поздно должна была обнаружиться и слежка. Вот, похоже, – если это у Карташ не разыгралась паранойя – и обнаружилась таковая. Ну, а там где слежка, там и до прослушки остается даже не шаг, а шажок.

Между прочим, по поводу того, о чем говорить между собой, а о чем не следует, Кацубой были даны четкие целеуказания. «Обо всем, – сказал тот, – исключая последние бурные события. Представь себе, старлей, что ничего не было – ни побега, ни платины, ни Туркмении, ни сходняка в шантарском метро. Вот исходя из этого и общайтесь между собой».

Это, в общем-то, было легко исполнимо, потому как, по негласному уговору, они с Машей, еще до появления на сцене Кацубы с его предложениями насчет Петербурга, не вспоминали ни тайгу, ни Туркмению, ни Шантарск. Слишком уж болезненная получалась тема.

Разумеется, Карташ поинтересовался тогда у Кацубы, придав голосу шутливое звучание: «Мы, что, впутываемся в шпионские игры?». Конечно, он и не надеялся на развернутый ответ, но рассчитывал, что сможет кое-что понять из *любого* ответа...

«Ты же военный человек, старлей, – ответил ему Кацуба, хитро подмигнув, – должен понимать, что к чему. Если ты вливаешься в ряды и встаешь под знамена, то изволь соблюдать субординацию. Ты солдат, я – командир. Приказы не обсуждаются, а исполняются. Ну ты представь солдата, которому говорят: копай канаву, – а он лезет с вопросами: дескать, вы сперва объясните, что в канаву положат, да каким стратегическим целям эта канава будет служить. Что тогда получится? Получится бардак, а не служба».

В общем, параноидальное ощущение, что за ними следят, как появилось, так и не отпускало. Хотя, опять же, не было каких-то реальных, осязаемых фактов, подтверждающих слежку. Так, никто вслед за ними из кафе «Бестемьян» не вышел, одни и те же лица в разных местах не мелькали, в общем, никаких серьезных зацепок, одно развопившееся чутье. С Машей своими подозрениями Карташ решил не делиться, нечего зря девушку тревожить, тем более, что ничего страшного в слежке нет...

В шесть часов вечера этого же дня Карташу пришлось выполнить еще одно «малэнькое, но атветственное» поручение. Маша осталась в гостинице, а Алексей, взявши такси, доехал до Витебского вокзала, там сел на пригородную электричку, проехал несколько остановок до платформы Купчино, где вышел и спустился в метро. И подземкой поехал обратно в город.

Видимо, эти странные перемещения, придуманные отнюдь не Карташом, преследовали цель еще больше укрепить возможных соглядатаев в том, что они, филеры, следят за нужными людьми. Хотя Алексей, как ни старался, не мог вычислить шпиков во встречных и попутных потоках горожан. Да и вообще, он поймал себя на том, что отвык от буйной столичной круговерти, что чувствует себя в толкучке непривычно, чуть ли не терялся – ну прямо как и полагается настоящему провинциалу. Вот ведь, блин, дожил! Шантарск, конечно, город крупный, а Ашхабад, бесспорно, город столичный, однако по ритму жизни те города все же иного, чем северная столица, порядка – тише, размереннее. Менее взведенные. Конечно, Питеру далеко по суетности и взбалмошности до Москвы, но на отвыкшего человека и здешняя жизнь действует оглушающе.

Тем вечером поездкой в метро дело не оканчивалось. Следуя все тем же приснопамятным инструкциям, Карташ выбрался на поверхность в заводском районе города, там быстро, опросив всего двух старушек, отыскал нужную улицу и уже без помощи аборигенов нашел двухэтажное здание из стекла.и бетона. Одно оно такое наличествовало в окружающем пейзаже, состоящем из заводских корпусов, фабричных труб и кирпичных стен. Наверху – магазин сантехники, внизу – питейное заведение под вывеской «Рассвет». Подниматься на второй этаж Карташу было незачем.

Как разобрался Алексей, бар «Рассвет» располагался на равноудаленном расстоянии сразу от нескольких предприятий, работники которых и составляли клиентуру заведения. Войдя в «Рассвет», Карташ, что называется, смешался с толпой. Много их оказалось – тех, кто по окончании смены не спешил домой, к семье и детям, а предпочитал сперва пропустить чарку-другую водки в преимущественно мужской и, главное, понимающей компании. Поскольку Алексей одет был вполне демократично, то на него не обратили ровным счетом никакого внимания.

А вообще, лучшего места для встреч придумать было трудно, тем паче – как нельзя лучше подходило сие место, если кому-то что-то требовалось незаметно передать. Тусклый свет грязных ламп, сизая завеса табачного дыма, непроницаемая, как лондонский туман, и битком народа. Только вот встречаться Карташу ни с кем не требовалось, равно как и что-то незаметно передавать. Причем Алексей даже в шутку пожалел про себя, что нет необходимости отрываться от погони – уж больно удобно было затеряться за спинами и незаметно выскользнуть через служебный выход.

Хорошее задание ему выпало, если разобраться. Стой за столиком, потягивай дешевое, но вполне съедобное пивко, покуривай, слушай треп про «сук-демократов и смешные зарплаты», можешь и сам что-нибудь вставить в том же духе. Тем более, никто не заставлял в приказном порядке брать за стойкой водку, которую тут наверняка бодяжат из технического спирта...

А вот зачем потребовалось забираться в такую дыру и дуть пиво из кружек с отколами и трещинами? Карташ, например, не мог ответить на этот вопрос. Нетрудно догадаться, как ломают головы над этим же вопросом те, кто проследил за ним. Если, конечно, кто-то следил...

Ага! Карташ не был уверен на все сто процентов, однако мелькнувшая в дыму морда показалась ему смутно знакомой. Где-то он видел эту физиономию, причем совсем недавно. Или в толпе, или еще где-то, не вспомнить. А может, все же паранойя? Чтоб там ни было, а подозрительный Карташу гражданин внимательно рассмотреть себя не дал – мелькнул и вновь растворился в табачных клубах. Да и бес ним, в общем-то...

Карташ честно, до последней точки исполнил выданные ему предписания: пробыл в баре минут двадцать, несколько раз пересек зал – сходил в туалет, подошел еще раз к стойке, свернул к окну, выглянул наружу. Дольше необходимого в «Рассвете» не задержался – сама по себе романтика подобных заведений его отнюдь не прельщала.

В гостиницу Алексей вернулся около девяти. «Ну и как, успешно прокатился по своим делам?» – потягиваясь, поинтересовалась Маша, которая, дожидаясь его возвращения в кресле перед телевизором, там и задремала. «Нормально, в самый раз», – ответил Карташ. Никакой другой полезной информации гипотетические слухачи в тот вечер более не получили.

Зато гипотетическую *наружку* они с Машей работой обеспечили сполна.

В театр было поздно, в музеи и на выставки – безнадежно поздно, в ночные клубы еще рано, да и к тому же – так полагали они с Машей – у них впереди еще уйма времени, чтобы сходить куда душе угодно. И они провели остаток вечера, фланируя по Невскому, сворачивая на прилегающие улицы, прогуливаясь по продуваемым всеми ветрами набережным. Вдобавок опять сходили в кино, а опосля заглянули в кабачок на углу Жуковского и Маяковской с живой музыкой и досыта наслушались «битлов» в исполнении питерских ребят. Карташ, хоть к фанатам ливерпульской четверки и не относился, однако ж вынужден был признать, что лабают пацаны весьма и весьма на уровне. В общем, как говорится, провели время простенько, но увлекательно.

Но Алексей весь вечер ловил себя на неприятном ощущении, будто все, что происходит – происходит не с ним, а с кем-то совсем другим. Уж больно странны все те события, в центре которых помещается человек под именем Алексей Карташ.

И следом накатывали мысли и того чище. Ну, а как вдруг он, Алексей Карташ, вовсе не вышел победителем из схватки на железнодорожной насыпи? И сейчас он не гуляет по-над рекой Невой, а валяется на сыпучем гравии с ножевой раной в груди? Рядом шумит тайга, на лицо падает тень от стоящего рядом убийцы и в последний миг проносится перед глазами версия непрожитой жизни. Довольно причудливая версия, признаться...

Алексей отгонял от себя эти липкие, как паутина, мысли: стоило им поддаться, и они могли завести в вовсе уж непроходимые дебри разума.

Но он и в кошмаре не мог предположить, что на следующий день будет желать как раз того, чтобы эти безумные мысли – что он, дескать, лишь домысливает, воображает жизнь, – оказались сущей правдой.

Поскольку правда в реальности была еще страшнее, еще кошмарнее: *он собственными руками убил Машу*.

На следующий день им пришло приглашение на презентацию.

Глава 4

ВХОД БЕСПЛАТНЫЙ

Арсенальная набережная, дом семь. Знаменитые «Кресты». «Академия», ежели на фене. Они же – следственный изолятор номер один. Они же – учреждение ИЗ сорок пять дробь один. Комплекс строений темно-красного кирпича, огороженных кирпичной стеной того же оттенка, расположившийся на Выборгской стороне, на самом берегу Невы. «Кресты» – потому что оба четырехэтажных ее корпуса выстроены, если посмотреть сверху, в форме «греческих», то бишь равноконечных крестов. Quadrata, если кто сечет по-ихнему. Про архитектора «Крестов», некоего Антония Томишко, есть такая легенда: дескать, по окончании строительства пришел он к царю и говорит, от волнения путаясь в словах: «Ваше, мол, величество, а я тут для вас тюрьму построил...» «Н-да? – хмурится Наше Величество. – Нет уж, брат, это не для меня, это для себя ты крытку смастрячил...» И засадил архитектора в тайную одиночку (к слову сказать, тогда все хаты в «Крестах» были одиночными.) Там и сгинул Антоний, заживо замурованный. И, дескать, до сих пор та камера не найдена, существует где-то на территории, а неприкаянный призрак бедолаги по ночам бродит коридорами и стенает... Брехня, конечно, однако ж могилка Томишко и в самом деле не сохранилась, так что байка сия живет и по сей день... Елки-палки, каких имен собранье, как сказал классик, кто в «Крестах» только не сидел – Троцкий, Керенский и папа Набокова, Малевич, Заболоцкий и Лев Гумилев, Жженов, Бродский, Олег Григорьев... А вот теперь и имя Алексея Карташа будет вписано в почетную книгу сидельцев...

Это он так пытался развлечь себя. Не помогало ничуть.

«Автозак» притормозил, послышались лязг и скрежет, и сквозь Южные ворота «ЗИЛ» вкатил на территорию «Крестов».

Пассажиры притихли: прониклись, наконец. Да и Карташ почувствовал трепет, аж передернуло всего – англичане называют это «гусь прошел по моей могиле». Совсем как парень из братанов Стругацких, попадающий на Зону – тот тоже всякий раз чувствовал содрогание и мурашки. Ну, а «Зона», «Кресты» – какая, на фиг, разница...

Остановились. И некоторое время не происходило ничего.

– Чего стоим-то? – напряженным шепотом спросил кто-то.

– Чего, чего, – огрызнулся «адидас». – Машину снаружи осматривают... А ты торопишься, что ли, куда-то?!

Распахнулась дверца, конвоир скомандовал скучным голосом:

– Выходи давай. И, это, стройся.

Поодиночке спрыгнули на свежий снежок, построились в неровную шеренгу. Уже было темно, пустынную заснеженную территорию освещали прожекторы. Оцепления вертухаев с автоматами и с рвущими поводок собаками поблизости не наблюдалось, лишь мялись от скуки трое прапоров. Без автоматов.

И вообще без оружия. С беззвездного черного неба на «Кресты» смотрела желтая луна.

– Короче, я сейчас буду фамилии называть, а названный должен говорить: «Я!», – четко и громко. Ясно? Поехали, – сказал топчущий снег в ожидании гостей коренастый человек в камуфляже и с седыми усами.

– Комендант, – сказал кто-то шепотом. – И че он на воздух вылез, обычно внизу всегда встречал...

В сумерках звания коменданта было не разглядеть, однако ни злобы, ни презрения в голосе не слышалось. Говорил он деловито и отрывисто, как человек, нелюбящий тратить время попусту. Посмотрел на верхнюю из кипы папок в руках, прочитал:

– Мишкин!

– Я... – откликнулся «адидас».

– Имя-отчество.

– Пал-Иваныч.

– Статья.

– Сто шестьдесят первая, часть вторая, пункт «а».

– Место рождения.

– Волгоград...

И так далее – с некоторыми вариантами: иногда кроме места усач спрашивал и дату рождения, или, скажем, адрес прописки, или еще что-то. Когда очередь дошла до вроде бы знакомого бледнолицего, который искоса разглядывал Карташа по пути, Алексей прислушался внимательнее, но названные ФИО опять же ничего ему не сказали: какой-то там Крикунов Родион Сергеевич, осужденный по статье сто шестьдесят третьей, часть три, пункт «г». Серьезная статья. Ну и что? Ну и ничего.

Наконец с формальностями покончили. Усатый взял папки под мышку и, скомандовав: «Пошли за мной. И не растягиваться», – повел цепочку арестованных к мрачному приземистому строению с тускло освещенными подвальными окнами. Сооружение выглядело весьма мрачно и навевало мысли о энкавэдэшных застенках.

В тот подвал и спустились – обширное помещение с низким потолком, выложенное блеклым кафелем, с шаткими лавками по периметру.

А дальше настало время оформления постояльцев гостиницы под названием «Кресты»: процедура насквозь бюрократическая и оттого изнурительная сильнее, нежели любой допрос у следователя. Одна радость случилась поначалу: рассадили их по одиночкам, и Алексей наконец-таки жадно закурил. А потом понеслось...

Инструктаж насчет того, что любая попытка к побегу будет вредна для здоровья: «распишись-ка». Шмон одежды и личных вещей. Деньги, мобильники, колюще-режущее, шнурки-галстуки-ремни и тому подобное изымается, взамен выдается квитанция – дескать, будешь выходить, вернем. Распишись-ка. (Причем деньги можно положить на лицевой счет и официально покупать что-нибудь в «Крестах» типа как по безналу. Удобно, блин. Денег у Алексея было тысячи три.) Хорошо хоть, бритву одноразовую и зубную щетку не изъяли...

Фотографирование.

«Пальчики».

Осмотр у врача. «Флюшка» – флюорография, проверка на тубер и на вшивость, анализ крови на СПИД и прочую каку. Плюс – осмотр тела на предмет гематом и иных повреждений; при наличие таковых – обязательная запись. («А это зачем?» – поинтересовался Алексей. – «А это затем, – равнодушно сказал лепила, – чтобы ты потом не вопил, будто фингалов тебе здесь злые цирики понаставили».) Плюс – подробный осмотр организма на предмет «контрабанды»: а вдруг ты за щекой «марки» вперемешку с бритвами несешь, а в заднице – ствол?..

«Прожарка», баня, то есть, с местным колоритом: тугие горячие струи, клубы пара, голые тела – некоторые синие от наколок...

Наконец, выдача матраца-одеяла-подушки-миски-кружки-ложки: «распишись-ка». Прапор, который выдачей заведовал, наметанным глазом оглядел небогатый прикид Алексея, хотел было предложить помощь насчет «продать-купить», но, наткнувшись на угрюмый взгляд, ничего не сказал.

Ну, вроде, все.

Оделись, выстроились, и в сопровождении усача гуськом двинулись на свежий воздух. Шли недолго – до поста в этом же здании, где их уже поджидал очередной камуфляжник с лейтенантскими погонами, такой же деловитый и сурьезный. И все по новой: фамилия, за что определен в «Кресты» – и далее по тексту. На вопрос за что сидишь «адидас» вскинулся:

– Да ни за что, командир. Ментам просто палку срубить надо было, вот и повязали на улице, бля буду!

Сержант устало поднял взгляд и спросил:

– А по версии следствия?

«Адидас» тут же стух и проворчал, запахивая полы куртки:

— Ну, если по версии... То, как водится... грабеж. Это... группой лиц по предварительному сговору.

— То-то...

После чего сержант споро распределил вновь поступивших клиентов по корпусам, и разбившиеся на две группки, ведомые цириками, постояльцы разошлись в разные стороны.

Через двор, в обход двухэтажного строения, по расчищенной дорожке налево. Разговорчики в строю прекратились, все как-то прониклись и осознали: вон она, последняя пересадочная станция, транзитный вокзал, откуда некоторые отправятся дальше – в увлекательное турне по лагерям и «химиям», а иным, дай-то бог, посчастливится не попасть на поезд и вернуться к обыденной жизни... Молчали и конвоиры, и лишь снежок скрипел под ногами – «хрусть, хрусть...». Темнел на фоне подсвеченного луной неба купол «крестовской» церкви.

Вошли в корпус, тот, что расположен дальше от Невы; скучающий человек в будке нажал кнопку, щелкнул замок, впередиидущий конвоир открыл дверь – плексигласовую, помутневшую от времени и частых касаний плиту, примастряченную к решетке, – позадиидущий дверь закрыл. Короткий коридор, еще одна дверь...

И вот они в центре «креста», куда сходятся диаметральными лучами отделения четырехэтажного корпуса. Наверное, Алексей должен был ощутить что-то вроде смятения: он на перекрестке четырех дорог, где налево пойдешь – в камеру попадешь, направо – то же самое, прямо-назад – аналогично... но разум наотрез отказывался от символических аналогий и поэтических сравнений. Все было прозаично и примитивно: пол, опять же, выложен плиткой, желто-красной, по стенам тянутся металлические огражденные переходы, соединяющие между собой галеры – коридоры с камерами, над головой натянута сетка, совсем такая же, как в лестничных пролетах некоторых «сталинок» – во избежание случайного (а, скорее всего, преднамеренного) падения вдребезги несознательных граждан.

Еще одна беседа с представителем племени надзирателей, на этот раз беседа тет-а-тет, с ласковым заглядыванием в глаза, задушевная – сил нет. Ни дать ни взять, на приеме у психиатра. Да и вопросики плешивый майор задавал под стать психиатрским: ни о чем. Может быть, он и сам не вполне въезжал, о чем спрашивает будто бы невзначай, между делом, за разговором. А может быть, просто скучно парню, поболтать не с кем... Ну, типа: на зоне служил, да, старлей? И как там? Ага... Куришь? И я тоже. А ты наш, православный?.. Да ни к чему, просто так спросил. Кстати, в Чечне не был? А мне вот довелось, две пули в бедре вот от мусульман окаянных... ну да ладно, не о том мы. Вот вижу, в несознанку играешь. Это, конечно, не мое дело, совершал ты преступление или нет, но на ментов-то зла не держишь, что укатали? Ну и правильно, у них своя работа, у нас своя... Первая ходка, да? А тачку водишь? И я вожу. Ну да, гаишники обурели вконец, а что делать – все кушать хотят, правда?..

И так далее. Наконец майор вздохнул, потянулся, сделал отметку в какой-то табличке, заключенной в фанерную рамку, похожую на биту для лапты, и кивнул ожидающему вертухаю:

– Давай-ка в четыре-шесть-*.

В сопровождении вертухая поднялись по гремящим ступеням на третий этаж, сопровождающий отдал бумажки очередному охраннику. Охранник посмотрел на Карташа одним глазом, как курица на зерно, и буркнул ворчливо:

– Прямо по галере до камеры доходишь, своими ножками, и там останавливаешься, понял? Спокойно доходишь, понял? Нет у меня людей за ручку тебя водить.

Чего ж не понять...

Карташ прошел по галере на ватных ногах, как будто в конце его ждала «стенка», увидел трафаретную надпись на двери «46*» и послушно остановился.

Кто именно его подставил, Алексей сейчас старался не думать. Может быть, *объект*, для которого плела свою загадочную паутину контора Глаголева, расшифровал Карташа и решил устранить помеху в лице старлея. Ну, при таком раскладе, Кацуба, дай бог, вытащит... если, конечно, захочет... А вот ежели так и было задумано во имя каких-то там высших целей, и посадка Алексея является неотъемлемой частью Глаголевой схемы... Об этом размышлять не хотелось. Карташ полагал себя реалистом и касательно *гуманизьма* конторы иллюзий не питал, но – от этого легче не становилось. Так что на данный момент он знал только одно – как, впрочем, и все попадавшие в аналогичную ситуацию, во все времена, во всех странах на всех континентах: тебе не поможет никто, кроме тебя. Или кроме совсем уж фантастической ситуации. В каковую, после всего случившегося (а если откровенно, то и до), Карташ не верил.

– Лицом к стене повернись-ка, – услышал он за спиной и ненароком оглянулся.

Сзади оказалась фигуристая тетка в форме, с забранными в пучок непослушными волосами, подошла, пока Карташ мозговал о своей судьбинушке.

– Давай, давай...

Алексей повернулся лицом к бледно-зеленой стене.

Рыжая с грохотом провернула ключ в замке.

И Карташ мысленно вознес мольбу Господу, собрался, готовясь к худшему. В том, что его ждут с нетерпением, распростертыми объятьями и, весьма вероятно, заточками, сомневаться не приходилось: «тюремное радио» наверняка уже сообщило, что к ним едет бывший вертухай. На перо, разумеется, не поставят, но жизнь постараются устроить такую, что и гестаповские застенки покажутся Французской Ривьерой, это к прокурору не ходи...

За все время службы при полкаше в комиссии по контролю за исполнением наказаний, Карташ, хоть в тюрьмы ни разу не заглядывал, зато с различными инспекциями посетил чертову тучу исправительно-трудовых учреждений; бывал в «красных» зонах, наведывался и в «черные». Видывал ИТУ, где царит форменный беспредел – либо со стороны оперов, либо со стороны контингента, без разницы, – и ИТУ, где имел место быть относительный порядок. Да и сам ведь, кстати, после истории с генеральской дочкой, после опалы вертухаил, – слава богу, на вполне мирной и спокойной зоне... ну, если не считать, конечно, финального «Пугачевского» бунта. Так вот, с инспекциями он объездил чуть ли не всю страну, и везде, везде видел одно и то же. Поэтому сейчас

Алексей ничуть не сомневался в дальнейшем ходе событий, в том, что его ждет. Камера наверняка — метров пятнадцать квадратных, рассчитанная душ на десять; камера, в которую запихнуто человек тридцать. Авторитетные товарищи, ясное дело, расположились на козырных местах, возле забранного решеткой окошка, отгородившись от прочих ширмочкой или занавесочкой — границей, за которую переступать имеют право лишь избранные да специально приглашенные — для разруливания каких-либо вопросов. У них и холодильничек наверняка присутствует, а может, и телевизор имеется. Прочие же вынуждены делить оставшуюся площадь «по-честному». Спать по очереди, хавать по очереди. Зачмуренные тоскуют под нарами или возле параши. Воняет сыростью развешенного в проходе бельишка, человеческим потом, табаком, чифирем. Каждого вновь прибывшего, и Карташа в том числе, ждет «прописка» — жестокое и унизительное испытание, устраиваемое верховодящими расписными (или же бритыми) с целью определить статус новенького. И от того, как поведет себя этот новенький, будет зависеть его дальнейшая судьба — что в хате, что, не приведи бог, в лагере: станет он «петушком», «машкой», то бишь опущенным, станет ли простым «мужиком» или же добьется уважаемого положения в «обществе» — пусть и не будучи вором... А «прописывать» его будут не по-детски, это факт: смотри выше пассаж о бывшем вертухае...

Наконец, дверь распахнулась, и Карташ шагнул за порог.

— Здравствуйте, люди, — на автомате сказал он.

И осекся. Дверь с лязгом захлопнулась за его спиной.

Приехали. Здравствуйте, девочки. А также – здравствуй, жопа, Новый год...

Нет, поздоровался он правильно, не в том дело. Любое другое обращение могло резко добавить ему штрафных очков. Скажи он «мужики», и у обитателей хаты тут же появится претензия: какие мы тебе, на фиг, «мужики», чмо?! И – бац по печени. «Пацаны» тоже не катит: «поцан» *по-еврейскому* значит, как говорят, «маленький пенис», так что – бац по печени. «Братаны»? Да какие мы тебе братаны, то же мне, родственничек выискался! Бац. И так далее...

Осекся он по совершенно другой причине, и мысли заскакали в голове со скоростью вращающихся барабанов игрального автомата.

Единственное, что угадал Карташ в своих предположениях, это наличие окна, развешенного белья и холодильника. На самом же деле камера была далеко не пятнадцать, а всего лишь квадратных метров восемь площадью, и была она шестиместной – трехъярусные нары по обе стороны от входа, и обитало в ней ровно три человека, с любопытством разглядывающих нового постояльца. Краем глаза Карташ успел отметить накрытую «поляну» на поворачивающемся столике, примастяченном к ножке нар по левую руку – белый хлеб, колбаска, лучок, сыр, даже, япона мать, бутылочка водочки. Имелся также настоящий унитаз, а не параша...

Вот и вспыхнуло в мозгу кошмарное: малочисленность камерного населения, малогабаритность площади, относительная комфортность и полный стол хавки означает одно: привели его к тем самым отморозам, которые по заказу мочат кому-то неугодных. Нет человека, как говорится, – нет проблемы. То есть, проблемы, конечно, будут – у сизошного начальства, бумажки там всяки-разны, отписки и объяснения, как, мол, получилось и кто виноват в том, что подследственный Карташ споткнулся, болезный, о порожек и в падении напоролся жизненно важными органами на край унитаза восемь раз. Но сии проблемы заказчика, надо думать, волнуют мало. Плавали, знаем... А также смотрели телевизор и читали книжки.

Нет.

Да нет же!

Не может быть. С таким старанием *закрывать* его – и только ради того лишь, чтобы трое уродов вогнали ему сейчас заточку в печень? Не бывает. Это уже паранойей попахивает...

– И тебе привет. Ну, че встал на пороге, сосед, ну и заходи, – с ленцой пропел штымп, лет эдак пятидесяти, в спортивном костюме, полулежащий на нижней полке нар и даже не пошевелившийся при Алексеевом появлении.

Зато двое его сокамерников, до того занимавшиеся своими делами, проявили живейшее любопытство. Один сел, отложив потрепанную книжку в мягком переплете, свесил ноги с верхней полки нар, пошевеливая пальцами под шерстяными полосатыми носками, и уставился на Карташа – совсем как биолог на какую-нибудь редкую животину на лабораторном столе, второй же, у окошка, затушил окурок в ярко-красной пепельнице с надписью «Marlboro», подошел, поправил очки на переносице и скрестил руки на груди:

мол – «ну и чего пришел?». Причем все трое были вида насквозь *ментовского*. «Красная» хата, что ль?..

Алексей сделал шаг внутрь камеры, только один шаг, и тут же лежащий на нижней полке негромко приказал:

– Стой-ка, братан.

И почесал живот. В камере пахло свежевымытым при посредстве «Ваниша» полом.

Алексей напряженно замер. Ага, «братан» все ж таки, надо же... И что теперь? Оскорбиться? А на что? Пока его, вроде, никто не оскорблял...

– Табуреточку вон ту видишь, одесную? – спросил исследователь холодильника. – Так что шмотки кидай на свободную шконку, – взмах рукой, – а сам присаживайся.

Шаткая табуретка действительно имела место неподалеку, между умывальником и «дальняком»* , как специально для него приготовленная. А «шконкой», судя по всему, именовались здесь нары – в Пармском лагере они назывались «шкондари», – и говоривший указывал на койку верхнем ярусе слева. Карташ мгновенье подумал и подчинился: положил скатку из постельного белья на нары и послушно сел на табурет. Быть покладистым в чужом монастыре – лучшая тактика. Тем более, мочить пока точняк не собираются. Так, присматриваются и принюхиваются...

– Эдик, – сказал лежащий и почесывающийся.

Не, не фига, это он не представлялся – это он приказ отдавал, и только что куривший очкарик немедля вразвалочку подошел к сидящему на табуретке Кар-

---

* «Дальник» – отхожее место.

ташу, буркнул: «Извини, братан, не дергайся», – и быстренько пальцами прошерстил его волосы. Ага, старший по камере, следовательно, тот, что возлежит на коечке... пардон, на шконке.

Тем временем, очкарик то ли по имени, то ли по кликухе Эдик закончил медосмотр головной части Карташа и отрапортовал, не поворачиваясь:

– Череп чистый, Дюйм.

А потом наклонился к Алексею:

– А грибочков нам не принес, а, сосед?

Пока Карташ судорожно вспоминал, что на блатном жаргоне означает «грибочки», Эдик пояснил:

– «Колеса» сымай. И «сырки» тоже.

Ах, в этом смысле...

Алексей снова подчинился – на автомате снял туфли и стянул носки, непрестанно сканируя обстановку. *Акцией* вроде не пахло, но в воздухе прямо-таки было разлито напряжение... нет, не напряжение – некое болезненное внимание к его персоне, пристальное, тягостное. И в голове опять промелькнуло идиотское: обувку с трупа себе оставляют, скоты... Но он тут же бредовую мысль отогнал. Пока ничего угрожающего – чистюли просто заботятся о санитарном состоянии камеры, вот и все. И плевать им, что лепила Карташа уже пользовал – потому как береженого бог бережет...

Тем временем названный Эдиком (совершенно неопределенного возраста субъект, то ли восемнадцати годков отроду, а то и всех сорока, с жиденькими, мышиного цвета волосами на косой пробор) так вот он наклонился к его ногам, осмотрел ногти, ступни, принюхался. Выпрямился, отошел к нарам, сообщил старшему:

– И тут нормалек, грибков вроде нема. Короче, Дюйм, чистый «вован»* попался, вот чудо-то... Обувайся.

Старший с погонялом Дюйм неопределенно кивнул, а Карташа мигом опять напрягло – при слове «вован». Стало быть, и в самом деле им уже известно, кто он есть... Но будущие соседи по камерной коммуналке восприняли сие определение равнодушно, как само собой разумеющееся. Дюйм с кряхтеньем принял сидячее положение...

И тут обладатель полосатых носков спросил вкрадчиво, глядючи куда-то в пространство:

– Ну а теперь объясни нам, *Лешенька*, каким это ветром тебя, «бэсника» и цирика, занесло на хату к людям понятийным и авторитетным?..

Причем слово «Лешенька» было произнесено тоном настолько мерзопакостным и угрожающим, что Алексей непроизвольно сглотнул и, не надевая обувки, медленно с табурета встал. Блин, и имя, оказывается, знают.

Ну вот, началось...

---

* Военнослужащий внутренних войск.

Глава 5

КАМЕРА ЧЕТЫРЕ-ШЕСТЬ-* И ЕЕ ОБИТАТЕЛИ

— Не гони, волну, Квадрат, — поморщился Дюйм. — Дай обвыкнуть человеку, а потом уже с претензиями лезь...

— Да не, пахан, в натуре! — подпустил истерики в голос обозванный Квадратом, *накачивая* сокамерников, и мягко, как кошка, соскользнул с нар. — Он же вэвэшник, бля, он наших пацанов трюмил на зоне, падла! Че ему тут обвыкать?! — Повернулся к Алексею и гаденько ощерился: — Че ты буркалами сверкаешь, че сверкаешь, сука?! Не думал, что когда-нибудь ответку держать придется за свой сволочизм? Так что не взыщи уж, спросим по полной...

Алексей молчал, лихорадочно продумывая тактику действий... Да каких, к чертям, действий — тактику боя продумывая. Драки не избежать, тут и думать нечего. Противники вроде не вооружены (хотя долго ли дать заточенной ложке скользнуть из рукава в ладонь), и если навалятся всем скопом — есть шанс.

Что погано — ничего полезного, что можно использовать в качестве оружия, в радиусе вытянутой руки не наблюдалось, даже белье на веревке было заботливо отодвинуто подальше от прохода, к крашенным бледно-зеленой краской стенам. Не будешь же унитаз выламывать с корнем и обороняться им...

Однако какая тварь его в камеру с братвой определила, вот вопрос...

Эдик опасен. В глаза не смотрит, но из поля зрения не выпускает. Положение ступней, то, как он держит плечи, голову, – каратэка, наверняка. Хорошая вещь – органолептика...

Чего греха таить, Карташу было страшно. Но к страху, нейтрализуя его, примешивалась изрядная доля злости, и от того в голове было ясно. Мать вашу, не для того я горбатился в ВВ, чтоб теперь какие-то «уголки» зело борзые меня гнобить начали...

Квадрат, многозначительно напевая под нос:

– А мальчонку того
У параши барачной
Поимели все хором –
И загнали в петлю...

– отряхнул джинсы и вразвалочку подошел к Эдику, встал чуть впереди.

Ну, вырубить Квадрата проблемы не будет: по всему видно, что боец из него никакой... Вазомоторика у него не ахти, не шибко боевая, но в ручонке он вроде бы небрежно держит свинченную с приемника телескопическую антеннку. Вещица легкая, ломкая и в серьезном бою бесполезная, одноразовая, однако ежели человеку неподготовленному стегануть по глазам, по уху, по пальцам, по кадыку – хотя бы на секунду, короче, выбить из колеи, отвлечь внимание от основного противника... Значит, не бином Ньютона: один отвлекает, типа лезет первым в свару, строит из себя крутого, а второй, даром что очкарик, до поры до времени не отсвечивает, держится в тени, чтобы просчитать подготовку Карташа и нанести удар...

– Ну так че молчишь, милый? – ласково прищурился обладатель полосатых носков. – Язычок проглотил? Невежливо, у тебя же по-хорошему спрашивают: какого хера ты в нашу хату заполз...

Ладно, *братаны*, не я бузу затеял, но начну, пожалуй, первым, потому как красные начинают и выигрывают...

Ломиться обратно в дверь с воплем: «Хулиганы зрения лишают!!!», – Алексей, разумеется, не стал: западло. Вместо этого он без лишних слов пальцами босой ноги поддел давешнюю табуретку и швырнул ее прямиком в окуляры Эдику. Тренированный Эдик, конечно, метательный снаряд отбил, но отвлекся, потерял долю секунды, а Карташ за это время – камера-то крошечная – переместиться впритык к Квадрату, нырнул под свистнувшую возле самого уха антеннку, впечатал со всей дури тому кулак под дых, крутанулся на месте и резко ушел в сторону – на всякий случай, чтобы Эдик, на миг выпавший из поля зрения, не зацепил.

Зацепил-таки, урод, по бедру, несильно, но обидно – реакция у очкастого оказалась будьте-нате. Странно, что не достал... Квадрата, сгибающегося от боли в три погибели, можно было уже в расчет не принимать, все внимание следовало сосредоточить на Эдике. Алексей только начал ставить нижний блок, а Эдик, тварь, уже разворачивался в приседе, и его нога, распрямляясь туго скрученной пружиной, уже летела, целя передней третью ребра стопы аккурат Карташу в пах, и Карташ подкоркой понимал, что перегруппироваться, сменить стойку ну никак не успевает, что сейчас копыто очкастого размажет его чресла в омлет, и, на уровне подсознания смирившись с неизбежным, выбросил вперед кулак с чуть выставленной фалангой среднего пальца, метя суставом очкарику в переносицу...

Камерная драка, да, впрочем, как и любая уличная, – эпизод скоротечный и стремительный. Это только в кино герои красиво метелят друг друга в течение пятнадцати полноценных экранных минут, отрабатывая гонорары и ублажая зрителей. У настоящей же драки – не боя на ринге, а именно *драки* – законы другие. За максимально короткий срок необходимо причинить максимальный урон противнику, ибо противник с тобой церемониться уж точно не станет. Тут не до правил и не до христианского, блин, человеколюбия, тут главное выйти из потасовки как минимум живым, а как оптимум – без потерь для здоровья. А победителей не судят, не правда ли? Так что в ход идет все, что имеется в распоряжении: руки, ноги, корпус, ногти, зубы, лоб, ключи, зажигалка...

А вот Карташ Квадрата пощадил. Мог бы, дурацкое дело нехитрое, козлине коленную чашечку выбить или шнобель сломать, да так, чтоб раздробленные носовые кости в мозг вошли... Не стал. Честно признаться, не из дурацкого гуманизма, а просто потому, что не было времени калечить «углового» основательно... А если еще честнее, то краешком сознания Алексей понимал прекрасно, что, проиграй он бой, покалеченного сокамерника ему не простят.

Короче: рассказ длится значительно дольше, нежели события происходят в реальности, все завершилось за какие-то шесть–семь секунд после начала раунда. Удар Эдика – удивительно, но факт – цели не достиг, нога его ширкнула по Алексеевой ширинке и отдернулась; мошонка Алексея была спасена для человеческого генофонда. Пропал втуне и выпад Карташа: очкастый неуловимым движением перехватил его кулак возле самого носа, легонько вывернул, чуть обозначая болевой, тут же отпустил. А потом скользящим движением вдруг отодвинулся на безопасное расстояние и поднял руки.

– Стоять!

Все еще охваченный азартом боя, Карташ рыпнулся было в контратаку, фиксируя каждое движение противника... и замер.

Противник, хоть и сохранял оборонительную стойку, но махач продолжать явно не собирался!

– Стоять, кому сказал! – рявкнул старший громче. – Обоих касается!

Голосина у Дюйма оказался стопудово командирский, такой, что некий товарищ старший лейтенант, навечно вживленный строевой службой в подкорку Карташа, встрепенулся и вытянулся во фрунт.

– Все-все-все, орлы, брейк, – добавил он сварливо. – Пошутили, и хватит. А то разошлись, понимаешь. Вы мне тут еще мокруху устройте, джекки чаны фиговы... – Эдик опустил руки, а старший вдруг развесссслился: – Бля, первый раз такое вижу: Эдика чуть не положили!

– Щас тебе – «положили», – не поворачиваясь, настороженно глядя на Карташа, ответил очкастый. – Я его достал... Ведь достал, а?

Карташ помедлил, а потом сумрачно кивнул, пребывая в полных непонятках. Напряг в насыщенной «Ванишем» камерной атмосфере, напряг, только что почти физически ощутимый, улетучился без следа. И Алексей позволил себе малость расслабиться. Так это что, шутка была? Это «уголки» таким манером новичков прописывают? Вот ведь гниды...

— Нет, ну мать же его, Дюйм... — с трудом выдавил Квадрат, медленно распрямляясь и глубоко, сосредоточенно дыша. — Шутки шутками, но он же мне весь ливер на хрен в кашу разворотил...

— Неясно сказано? — в голосе Дюйма опять появился металл. — Стоять! А чего ты хотел? Сам первым попер на мужика с предъявой... Не ной, выживешь. Эдик, что встал, как не родной? Пригласи гостя к столу. Голодный, поди, после ивээски-то*... Прогары, короче, Леха, натяни, пол у нас без подогрева, табурет двигай сюда и подсаживайся. Отпразднуем, типа, пополнение в наших стройных рядах «бэзсов»... — Он вдруг ухмыльнулся и хитро посмотрел на Карташа. — Да не дрейфь, душа моя. Пошутили мы. Прописку уже лет десять, как сходняк отменил. И потом, думаешь, опера тебя и в самом деле к уркаганам подсадили? Как бы не так. На фига им лишняя головная боль? А если тебя «уголки» порежут, или хотя бы табло тебе начистят? Они, опера, то бишь, потом вовек не отмоются. Им спокойная жизнь зело по душе. Да и «уголкам» тоже.

— Ага, — буркнул продышавшийся Квадрат, глядя на Карташа исподлобья. — Начистят ему, жди, отморозку... — Он подобрал выроненную антенну, сложил ее и зло бросил на шконку. — В гробу я видел такие розыгрыши...

---

* ИВС – изолятор временного содержания.

— А это я тебе за *Лешеньку*, — мстительно сказал Карташ и поставил валяющуюся на боку табуретку.

— И эт-то правильно, — похвалил Дюйм. — Ты бы с языком своим поаккуратнее, Квадратик, я тебе сто раз говорил. Смотри, подрежут в один прекрасный день.

— Сам смотри за своим языком, — огрызнулся полосатоносочный.

— Елки-палки, ну что у тебя за характер, а! — скривился Эдик. — Сам же предложил: скучно живем, мужики, давайте, мол, парня на тонкость кишки проверим! Вот и проверил, гаишник фигов!

— А ты, можно подумать, против был! — взвинтился Квадрат с полуоборота. — Первый и заверещал: я его пробью, я его пробью, а ты огонь на себя отвлекай!.. Терпил своих ты тоже ногой по яйцам убеждал заявы забирать?!

«Эге, — подумал Карташ, негнущимися пальцами натягивая туфли, лишившиеся шнурков, и чутко прислушиваясь к светской беседе, — а отношения у ребяток еще те...»

— Ну-ка ша! — опять пришлось вмешиваться старшему. — Вы мне хату не позорьте-то! Марш по углам!

Ледяной стержень, торчащий в сердце и не исчезающий с того момента, как на его запястьях защелкнулись «браслеты», постепенно таял. И почему-то именно сейчас он окончательно уверился: соседи не врут, никакие это не «углы», а просто скучающие, мать их, «бэсники». Черт его знает, почему уверился. Может, потому, что нагляделся выше крыши на *настоящих* урок и уже по одному взгляду мог отличить и даже классифицировать их: этот — явный «законник», тому — на мокрое пойти как два пальца об асфальт, но стучать станет, лишь только погрози сурово пальцем, а третий – просто баклан, шпана, но к ней, шпане этой, спиной поворачиваться не рекомендуется: пику может вставить как «ха», потому как молодой, горячий и полагающий, что круче его только Игорь Крутой...

Но остается вопрос: откуда ж у простых «красных» такое соцобеспечение и такие хоромы? Значит, не простые это «красные». Значит, не случайно Алексей угодил именно к ним...

Тем временем угомонились. Карташ покончил с обувкой, выпрямился. Бормоча что-то под нос, на шконку сел Квадрат. Сел и Эдик, подмигнул Алексею:

– Да свои, братан, свои, не напрягайся. Если б не свои были, я бы тебе шарики-то размазал-то, думаешь, нет? А не веришь – так вон мое обвинительное заключение на полочке пылится, можешь заглянуть и посмотреть, кто я есть на самом деле: старший оперуполномоченный Рудин моё фамилие...

– Короче, давай-ка за стол, Леха, – сказал Дюйм. – Или, если хочешь, покемарь пока. Я, помню, когда первый раз меня *закрыли*, часов двенадцать продрых без задних ног – вымотали меня следаки вусмерть, да и перенервничал...

Но Алексей все еще колебался.

– Дюйм, а он думает, что это еще одна проверочка, – опять встрял, склонив голову набок, Квадрат. – Типа, отведаешь чего-нибудь, а потом окажется, что жрачку до тебя уже попробовал «петушок». Слыхал про такое? А есть из шлёмки опущенного – западло немереное, стало-ть, и тебе быть «петухом».

– Эх, молодежь, книжек глупых начитались... – вздохнул Дюйм, передвинул свои телеса к столику, бросил на ломоть белого хлеба кружок твердокопченой колбасы, сверху положил кусок сыра и сочно впился в бутерброд зубами, глядя при этом на Карташа.

Карташ же пищеварительные позывы сдержал и сказал:

– Да не в том дело, спасибо... Люди, а как насчет умыться-побриться? Негоже так за стол садиться, с дороги-то...

Не во имя этикета спросил, ей-богу: в самом деле, ладони были омерзительно липкими, к тому же с не до конца смытой краской для «пальчиков», и щетина кололась чуть ли не до чесотки, так что Карташ готов был подписать любую чистуху – лишь бы позволили взять в руки мыло и бритву.

И, как оказалось, спросил в масть.

Эдик посмотрел на Квадрата, Квадрат посмотрел на Дюйма, тот посмотрел на Карташа – и, ухмыльнувшись, разрешил милостиво, но уже с ноткой увабухи в голосе:

– Валяй. «Светланка»* вон... Ты уж извини, браток: по правилам, надо было тебя сначала за стол усадить, напоить-накормить, а потом уже шутки шутить... Ты не в обиде?

– Вы хозяева... – Карташ пожал плечами, достал свою бритву, повернулся к раковине, включил воду.

– Это еще что! – сказал Квадрат. – Мне местный опер рассказывал. Сидел тут один хмырь по кличухе Ржаной. Спортсмен. Командир какой-то крутой

_____
* Умывальник.

ОПГ. Сидел мирно, спокойно, не быковал... Так опера подшутить решили и подсадили к нему парня по фамилии Ржаной – посмотреть, типа, как два Ржаных уживутся. А хлопец тот вообще не при делах: первоходка, водила простой, за ДТП со смертельным исходом закрыли. Ну, подсадили, короче... День проходит, два – тишина. Опера уже все на изменах: как бы не случилось чего, как бы спортсмен этого не завалил. Врываются в хату – а там мир и благодать: Ржаной-бандит чай кушает, Ржаной-водила на шконке лежит, глазенками лупает... И тот, который бандит, даже имени-фамилии его до сих пор не знает! Оказывается, он как с новенькими знакомился? Не прописывал, а именно знакомился. Ни слова не говоря подходит и ласково так – хер-рак по печени! Если выдержит удар, значит, стьящий человек и можно с ним дело иметь, будь он хоть сам министр внутренних дел. Ну, а если нет – то пусть сидит на своей шконке и не отсвечивает, под ногами не мешается...

И Квадрат заржал.

Зеркала не было. Ну и плевать. Краем глаза все-таки отслеживая происходящее за спиной, Карташ мысленно поздравил себя с первыми победами – совершенно непроизвольно заработал несколько призовых очков на элементарной чистоплотности. Хотя, блин, мог бы и сам догадаться: коли уж устроили форменную СЭС на входе, стало быть, хата стараниями ее обитателей содержится в чистоте и порядке. И сие необходимо приветствовать и поддерживать.

Закончив гигиену, Карташ повернулся к *соседям*.

– Давай сюда, Леха, порубаем малость, – махнул ладошкой старший и глянул на Эдика.

Уговаривать себя Алексей не стал заставлять.

Эдик споро подхватил бутылочку – это «Флагман» оказался – свинтил ей горло и набулькал по кружкам. В других кружках плескалась простая вода, для запивки, должно быть. Выпили «за смерть врагов», причем Алексей выбрал кружку сам и залил водку в рот только после того, как выпили соседи – береженого, как уже говорилось, бог бережет, да и свеж в памяти еще был финал последнего употребления – там, на презентации автомобиля «Bugatti», будь она проклята. Водка действительно оказалась водкой. Остальные Алексеев маневр, естественно, замстили, но промолчали. Лишь Квадрат опять открыл было рот, но, вот странно, ничего не сказал.

Огненная вода стремительно ухнула в пустой желудок и растеклась по жилам и прочим артериям, наполнив тело жаром и мурашками. Вот что ему требовалось. Почувствовав, как кровь прилила к щекам, Карташ понял вдруг: наконец-то _отпустило_. Расслабилось и смягчилось, словно мужское достоинство после апогея. Совсем как в компьютерной игрушке, он добрался до конца первого уровня, и теперь остается ждать, пока комп подзагрузит следующий уровень. Черт его знает, что будет там, на уровне втором, но, пока ничего не происходит, можно перевести дух.

Выпили по второй, закусили. И под водочку и хавку начался ненавязчивый разговор.

– С табуреткой это ты ловко придумал, – сказал Эдик, жуя. – Как догадался, что тебя должен валить я, а не этот? – небрежный кивок в сторону Квадрата.

– По кентосам*, – пожал плечами Алексей, хотя заметил их только сейчас.

Ничего, пущай думают, что такой он весь наблюдательный и догадливый...

– А вот кстати, – спросил Алексей, – что, табуретки в камере разве полагаются?

Ответом был по-детски невинный взгляд трех пар глаз.

Эдик задумчиво посмотрел на костяшки пальцев и хмыкнул.

– Соображаешь. Хотя говорок у тебя не питерский. Москвич, что ли?

– Оттедова, – кивнул Карташ.

Удивительно, но желудок, отчего-то наплевав на голод, даже простенький бутерброд отказывался принимать, еда сухим комом вставала поперек горла и проталкивать ее дальше приходилось с усилием. Есть хотелось, но не моглось. Нервы, бля...

– По зонам, значит, вертухаил, – вклинился Квадрат – еще малость набычившись, но, в общем-то, уже миролюбиво.

– Только в одной. В Сибири. А до того в КИНе** служил, проверял, как люди сидят...

– И как? – это уже Дюйм спросил.

– По-разному, – опять пожал плечами Карташ.

Он глянул на полочку для шлёмок, кружек и прочих нехитрых кухонных принадлежностей, под которой притулился небольшой, в половину человечес-

---

* Кентос – мозоль на надкостнице пальцев рук у людей, занимающихся рукопашным боем.

** КИН – (комиссия) по контролю за исполнением наказаний.

кого роста портативный холодильничек «Сименс» и бросил пробный камень:

— Но такие вот дары прогресса обычно наблюдаются только у сидельцев уважаемых и заслуженных — авторитетных, один словом...

— Да? — удивленно протянул Дюйм, однако на намек не обиделся. — Ну, не знаю. У меня, видишь ли, застарелая болезнь желудка, почти смертельная, необходимо каждодневное сбалансированное диетическое питание, не то могу и концы отдать. Так что я накатал заяву лепилам, вот они мне холодильник и подогнали: на хрена им потом разбирательство, от чего да почему я коней двинул во вверенном им заведении...

Он маханул еще водочки и зажевал кусочком твердокопченой колбаски. «Издевается», — понял Карташ.

— Люди, — сказал он напрямик, — я хоть и знаю, как живут у *хозяина*, но ходка эта у меня первая. И, признаться, я ничего не понимаю. Тут в «Крестах» все так шикуют, или только «бэсники»?

— А друзья-приятели-родственники у тебя в Питере есть? — поинтересовался Квадрат.

— Ни души, — кратко ответил Алексей, помрачнев. После *инцидента* в «Арарате» это стало чистой правдой.

Эх, Машка, Машка...

Сокамерники переглянулись мельком, и что-то в их взгляде Карташу не понравилось.

— Сиротинушка, значит, — констатировал Квадрат.

— Да ладно, — сказал Карташ, отгоняя воспоминания. — В Москве папашка, вроде, жив. Только мы с ним не очень-то в контакте...

Про звание папашки он решил пока не распространяться: неизвестно, хорошо это для него или плохо, что он сын генерала.

– Фигня, – уверенно заявил Эдик. – Какой-никакой, а он тебе все ж таки отец... Ты вот что, ты ему весточку зашли, что, значит, в передрягу такую попал. Не то тяжко тебе придется, брат, без подкорма-то...

– А как москвич в передрягу *здесь* попал, не хочешь рассказать? – аккуратно так спросил Дюйм и самолично набулькал Карташу. Что, опять же, было странно: старший – а за столом прислуживает...

Алексей вспомнил «адидаса» и посмотрел Дюйму в глаза:

– Тебе правду или версию следователя?

– А это уж тебе решать, – быстро сказал Дюйм. – Можешь вообще ничего не говорить. Никто не заставляет, твои дела – это твои дела.

Карташ поразмыслил немного, крутя водку в кружке, потом резко поставил выпивку на стол. А, черт, почему бы и нет?

И рассказал все, как было на самом деле – начиная с их приезда в Питер. Что, признаться, мало чем отличалось от уже известного следствию.

Глава 6

ПОСЛЕДНЕЕ ТАНГО В ПИТЕРЕ

Приглашения на презентацию доставили в «Арарат» почтой. Конверт им вручил портье, когда Алексей и Маша спустились вниз на завтрак. «Ну прям не жисть, а натуральный блокбастер про ихние нравы, – подумал Карташ, вертя в пальцах длинный конверт без обратного адреса и с портретом Ломоносова в углу. – Портье, отель-бои, "для вас письмо, мистер", чаевые»...

Между прочим, давать на чай естественно и небрежно тоже нужно уметь. А для этого трэба иметь соответствующий навык. Но Карташ не переживал, что чаевые он вручает не слишком изысканным манером. В конце концов, он себя и не выдает за потомственного аристократа.

Приглашения в конвертах не стали для Карташа сюрпризом. «Получите билеты на одно мероприятие, каковое и посетите в указанный день со всем прилежанием, – так напутствовал Кацуба. – Что за мероприятие – не приставай с вопросами, старлей, сам пока не знаю. Ну, на дурное дело не пошлют».

На дурное действительно не послали.

– Ух ты! – даже не смогла сдержать восхищенного возгласа Маша, когда Алексей передал ей два картонных прямоугольника, украшенных золотым тиснением и завитушными надписями. – А к губернаторше нас не позовут?

– А почему бы там, – Карташ постучал пальцем по приглашениям, – не быть и губернаторше...

Вечером этого же дня господин Карташ Алексей Аркадьевич, шантарский коммерсант и журналист (так было написано в приглашении на презентацию), сидел на заднем сиденье вызванного к гостинице такси марки «мерседес». На вызове «VIP-такси» настояла Маша – дескать, раз уж назвали нас коммерсантами, тогда полезем в подобающий кузов. Карташ не стал спорить. Все равно бабло чужое...

И вот не самой последней модели, но все же «мерседес» лавировал среди плотного потока, перескакивая из ряда в ряд, втискиваясь, обходя, подрезая. Однако при всем мастерстве, что показывал нанятый ими Шумахер, стояния в пробках избежать не удалось. Что ж, ко всему следует подходить философски и спокойно, поскольку «тарапица нэ надо», как говаривал товарищ Саахов.

Маша сидела рядом в темно-коричневом брючном костюме и блузке черного цвета с серебряными прожилками. Было бы нелепо думать, будто Алексей немедля после получения приглашений не услышал от подруги аксиому касательно того, что «надеть ей абсолютно нечего», так что послеобеденное время пришлось сопровождать Машу в походе по магазинам. Не отпустишь же девушку одну в большом незнакомом городе? Но к маленьким (хотя, к слову сказать, недешевым) женским прихотям Карташ отнесся опять же по-философски: в конце концов, не каждый день выпадает за государственный кошт прокатиться в северную столицу, да еще и быть приглашенным на вечеринку для избранных – как тут пройдешь мимо салонов, шопов и прочих бутиков... Что-то в последнее время он ко многому стал подходить исключительно философски. К добру ли это?

Вскоре такси добралось до места. Через Таврический мост, по Каменностровскому проспекту, тачка попала на Крестовский остров, на остров счастья, где квадратный метр жилья стоит в три раза больше, чем в других районах города, попетляла по зеленым аллеям, подъехала к железным воротам в глухом высоченном заборе.

За воротами обнаружился особняк – по всем признакам недавно отреставрированная усадьба, наверняка бывшая собственность некоего дореволюционного вельможи. Вокруг особняка – парк, идеально ровные асфальтовые дорожки, фонари, стилизованные под старинные, газовые. Охранник взглянул на приглашения, махнул рукой: проезжай, мол. Можно было, конечно, отпустить такси у ворот и в удовольствие прогуляться по дорожкам, но исключительно ради понтов они все же проехали до крыльца. (Хотя понты, разумеется, получились вполне рядовые, поскольку на ярко освещенной стоянке возле особняка «мерсюков» было, что на городских улицах – «жигулей». А окромя них Карташ разглядел «феррари», «ягуары», «бентли», даже одну «ламборджини». В общем, сразу видать: не токари съехались на слет.)

На широком и длинном крыльце, прямо перед стеклянными дверями входа, на невысоком вращающимся пьедестале, окаймленном мигающими гирляндами, стоял герой сегодняшнего вечера – или, точнее, героиня, поскольку форм авто было насквозь женских. Яркого серебристо-голубого цвета, двухдверная, с плавным, каким-то акульим абрисом, с клиренсом настолько крохотным, что любая колдобинка на расейской дороге неминуемо привела бы сие чудо автомобилестроения к потере, как минимум, глушака, – она медленно поворачивалась на пьедестале, выставляя напоказ все свои изгибы и прелести, как стриптизерша на шесте. Звалось это диво «Bugatti» (так, по крайней мере, говорилось в приглашении) с каким-то четырехзначным численно-буквенным номером, который, Карташ, разумеется, тут же благополучно забыл. Нынешнее мероприятие проходило под знаком презентации этой модели, и в приглашении был обещан тест-драйв всем желающим. «Тест-драйв должен удасться», – мельком подумал Карташ, глядя через огромные окна на богатые фуршетные столы, глядя, как по фойе с тарелками и бокалами бродят *званые*.

На прибытие новых людей никто никак не отреагировал. То есть, глянули, конечно, одним глазком – знакомые или незнакомые, убедились, что явились напрочь незнакомые, и отвернулись. Похоже, присутствующие уже успели пропустить не по одной рюмахе, и Карташ не видел никакого смысла не следовать их примеру.

Кстати, Алексей полагал, что на мероприятии все будет отсвечивать костюмами от арманей и прочих версачей. Отнюдь! И он никоим образом не смотрелся сиро в своем обыкновенном, хоть и недешевом костюме. Хватало людей одетых совсем уж просто. Ну а уж журналисты, которых легко можно было угадать по голодному взгляду и желанию поскорее и как можно больше впихнуть, а главное – влить в себя (гложет их изнутри, вишь ты, извечная журналистская боязнь: «ну а как вдруг выгонят!»), – так вот эта публика, по своему обыкновению, была обряжена в помятое и несвежее. А в гражданах, одетых в нарочитые косоворотки и с икринками в бородах, легко было опознать политических деятелей, специализирующихся на квасном патриотизме...

Зато *мероприятие* прямо-таки ласкало взор обнаженными женскими плечами и спинами, а также загорелыми шейками и пальчиками, усыпанными брюликами и рыжевьем. «Эх, чому ж я не тать, чому ж не ворую! – вздохнул про себя Карташ. – Знатный хабар можно было взять...» И еще одно наблюдение просилось на ум: своей одежонке мужик может не придавать никакого значения, но кто ж этому мужику даст сэкономить на женской боевой экипировке...

Карташ и Маша без труда влились в процесс. Если была изначально какая-то неловкость, то она быстро улетучилась в непринужденной обстановке. И вот уже огненная текилла разливается по жилам, вот уже Карташа втянули в разговор о политике, перемежающийся анекдотами про блондинок, а Маша примкнула к веселой девичьей стайке и влилась в обсуждение каких-то увлекательных вещей, то и дело прерывающееся хихиканьем. По огромному проекционному телевизору гоняли ролики, в лучшем виде представляющие автомобиль, которому предстояло в ближайшее время стать любимым средством передвижения российских толстосумов.

Очень скоро узлы галстуков были распущены, физиономии раскраснелись, незнакомые люди по-простецки хлопали друг друга по плечам и обменивались визитками. Видимо, организаторы мероприятия поняли, что дальше тянуть с тест-драйвом опасно, иначе тест рискует превратиться в аттракцион: «Кто бы-

стрее и оригинальнее разобьет новую модель». На-
стежь распахнулись входные двери фойе, всех стали
звать на крыльцо.

— Рекомендую, — сказал остановившийся рядом с
Карташем на крыльце полный мужчина лет пятидесяти и протянул тарелку с какими-то зелено-красны-
ми яствами в тарталетках. — Отменно приготовлено.
Совершенно то же я едал в морском ресторанчике в
Ницце, так там делают намного хуже. Только это дело
надо обязательно запивать... Эй, милейший! — он по-
дозвал официанта, каковых во множестве стояло поблизости и начеку. — Выпивку какой страны, как спросил классик, предпочитаете в это время суток?

Карташ, уже совершенно расслабившийся, в этот
момент внезапно вспомнил, что он здесь, в общем-
то, не на отдыхе... «А для чего я здесь?» — тут же спросил он сам себя. И сам себе ответил: «А хрен его знает!» Никаких специальных указаний на этот счет
Алексей не имел. Но все же не стоит уж совершенно
растелешиваться.

— Я пока пережду с выпиванием, — сказал Карташ. — Сразу взял с места в карьер. А надо делать
паузы в ходах. Ведь еще за рулем этого монстра хочу
посидеть...

У монстра в данный момент были распахнуты все
дверцы, и представитель фирмы крутился вокруг из-
делия юлой, вскальзывал внутрь, выскальзывал наружу, что-то без конца включал и демонстрировал,
цветисто расписывал достоинства этого чуда автомобильной мысли.

— Да бога ради! — громогласно воскликнул новый
знакомый Карташа. — Насчет паузы — дело абсолютно

хозяйское, а насчет руля можете не беспокоиться совершенно. Сегодня не порулите, так милости прошу в ближайшее время ко мне в салон. – Толстяк извлек из жилеточного кармана визитку, что стоило ему труда из-за внушительного, натягивающего жилетку живота, и протянул картонный прямоугольник Карташу. – Мне и предстоит продавать этого монстра за чудовищные бабки всем нуждающимся. А ты, – он вспомнил об официанте, – принеси-ка нам пару виски, и про лед не забудь. – Вновь повернулся к Карташу. – Просто подержите в руках и чокнитесь для порядка. Как ваше имя, можно узнать?

Карташ назвался.

– Вы ведь к нам из глубинных провинций пожаловали?

– А что, так заметно... – Карташ заглянул в визитку, – Виталий Сергеевич?

– Скорее не по вам, – помотал головой толстяк, – а по вашей спутнице...

Видимо, прочитав что-то такое в глазах Карташа, он поспешил объяснить:

– Бога ради, не подумайте, что я намекаю на какие-то оплошности в этикете. Какой там этикет в наше время... Просто посмотрите на наших питерских барышень и на вашу спутницу. Чувствуете разницу? Наши или бледные, или с ламповым загаром, на худой конец – с недавним заграничным... А у вашей загар натуральный и притом явно отечественного происхождения. Да и румянец не косметический.

Карташ не стал разуверять Виталия Сергеевича относительно отечественности Машиного загара – потому как Туркмению можно причислять к *отечеству* разве только в том случае, ежели верить, что по-прежнему обитаешь в Советском Союзе.

— Да я и не выдаю себя за столичную штучку, — сказал Карташ. — Шантарские мы. Бывали?

— Не довелось, — толстяк помотал головой и взял с подноса бокал с виски. — Что ж, давайте выпьем за процветание вашего Шантарска!

Толстяк тяпнул ячменного напитка столь залихватски, что и Карташу тут же захотелось. А там следом Алексей отведал и блюдо, что так настоятельно рекомендовал его новый знакомый. На вкус сия штучка оказалась вполне приемлемой, желудку понравилось. Сжевав одну, Карташ потянулся и за второй.

— Ага, говорил я вам, что стоящая вещь! — обрадовался толстяк по имени Виталий Сергеевич, будто он-то повар и есть. — Ну, давайте еще глотнем, теперь уж за Питер...

Потом закурили. Посмотрели на то, как начинаются испытания автомобиля. Первым в салон забрался мужчина лет тридцати с небольшим, но уже совершенно седой, сел за руль, а пассажирские места заняли три хохочущих блондинки. По тому, как первый испытатель взял с места и съехал с покатого бока подиума, чувствовался немалый лихаческий опыт. «Ох и достанется сегодня машине, — машинально отметил Карташ. — Впрочем, устроители акции, думается, знали, на что идут».

— Послушайте... — вдруг сказал толстяк, смущенно потирая нос. — Может, не мое это дело, да и зарок давал не лезть в чужие дела... Но я все же дам вам совет. Не хочется, чтобы вышел инцидент и вы уехали от нас с обидой. И не люблю, знаете ли... – Виталий Сергеевич поморщился и фразу не договорил. – Поглядите в окно. Видите, с кем стоит ваша подруга?

Маша на крыльцо не вышла, она осталась в холле. Ее было прекрасно видно сквозь огромные, от пола идущие окна. И сейчас Маша пребывала в компании невысокой женщины лет сорока, по всем признакам бизнес-вумен, и молодого чернявого субъекта с серьгой в ухе.

– Вижу, – сказал Карташ. Пожал плечами. – Ну и что?

– Я имею в виду этого молодца, – собеседник Карташа замялся. – Как бы вам сказать... Это *проблемный* человек. А ваша подруга вовсю любезничает с ним... Он может это не так расценить. – И толстяк, понизив голос, раздельно произнес: – На всякий случай от него лучше держаться подальше.

Нарываться на совершенно непонятные сложности в планы Карташа никак не входило. С другой стороны, кто сказал, что тучный Виталий Сергеевич – наш безусловный друг и добрый советчик? Вдруг как раз именно от него следует держаться подальше...

– И что такого в этом юнце? – спросил Карташ, еще малость отхлебнув виски.

– Вы просто не знаете, кто он.

– А кто он?

Виталий Сергеевич бросил быстрый взгляд вокруг, подвинулся поближе к Карташу:

– Его отец...

Толстяк назвал фамилию, какую даже в Шантарске обязан знать любой, мало-мальски интересующийся политикой. Или хотя бы имеющий телевизор.

— Вы не местный, — продолжал Виталий Сергеевич. — А в черте города семейка его влиятельна весьма. Почему я вас и предупреждаю. Других-то чего предупреждать, сами все знают...

— И чего именно я должен опасаться? — спросил Карташ.

— Были, знаете ли, всякие прецеденты, — неопределенно махнул бокалом Виталий Сергеевич. — Он с дурью в башке. Никогда неизвестно, что ему в следующий момент втемяшится. А если втемяшится, он будет переть, как танк, не видя оград и заборов, до упора. И ваша подруга ему определенно понравилась. На всякий случай говорю.

В голосе толстяка невольно прорывалось некое личное отношение к субъекту за стеклом. Наверное, сие есть ни что иное, как незаживающая обида — давняя... или не очень.

Не сказать, чтобы Карташ проникся сими тревожными предупреждениями, слишком уж опереточным у них был антураж. Однако кое в чем прав собеседник: здешние места, а равно здешняя публика и нравы Карташу насквозь незнакомы, поэтому Машу не следовало далеко от себя отпускать. Конечно, в кои-то веки оказалась в светском обществе, ей охота повращаться, почувствовать себя львицей... Но Маша, девочка разумная, должна внять предостережениям и быть начеку...

— Спасибо, что предупредили, — сказал Карташ, ставя пустой бокал из-под виски на широкие перила крыльца — обслуга уберет. — Пойду спасать девочку, пока не поздно...

Он увел Машу подальше от опасных типов без труда:

– Прошу прощения, но мне необходимо украсть у вас барышню на парочку очень личных встреч, – сказал Карташ, взял Машу под руку и отвел в сторону.

Глаза сынка влиятельного папаши, вопреки опасениям Виталь Сергеича, не стали наливаться мутную водицею, по губе не побежала слюна, а скрюченные пальцы не потянулись к горлу Карташа. Ну да, этот сынок – вылитый мачо, смазливый и наглый, конечно, к таким не следует близко подпускать красивых подруг. Не иначе, – подумал Алексей, – владелец автосалона Виталий Сергеевич, выражаясь цитатой из «Мимино», испытывает к патэрпевшему такую глубокую личную неприязнь, что кушать не может. Очень похоже, автосалонщик однажды не уберег супругу или дочь, ну и теперь...

Карташ повел Машу, держа под локоток, к глубокой нише, где размещался миниатюрный зимний сад. Остановились возле какой-то развесистой пальмы в деревянной кадке, и Алексей прошептал ей на ухо:

– Я тебя ревную к этому дону Гуану. Гану-Дону...

– А я тебя к этой противной машине, от которой ты не мог отвести взгляд, – игриво ответила Маша. – И ради этого ты меня уволок под сень дерев?

«Пропал ты, старлей, – подумал Карташ с волнующей обреченностью, – это уже, похоже, даже не любовь, это, похоже, гораздо большее – это то, что навсегда...»

А совсем рядом представитель некого банка уговаривал напыщенного бобра с двумя подбородками и тусклым взглядом воспользоваться кредитом их банка, расписывал прелести процентов и соблазнял сроками платежей. Причем уговаривал и расписывал столь страстно и пылко, что твой Ромео просто отдыхает.

– Мне тут намекнули, что не стоит сближаться с этим гражданином с серьгой в ухе, – продолжал Карташ, стараясь, чтобы его слова прозвучали максимально внушительно. – Из чего я сделал вывод, что не стоит сближаться и с тем, кто *намякивал*. Ну и, на всякий случай, со всеми остальными.

– Как скажешь, дорогой, – сказала Маша, внимательно глядя Карташу в глаза. – Ты же у нас главный...

Потом они бродили по парку, обнаружили, что позади особняка готовят шашлыки. Потом эти шашлыки ели. Запивали их, естественно. Потом с молодой семейной парой сразились в набрасывание колец на колышки – сия забава обнаружилась в приусадебном парке. Потом все же прокатились на презентуемой машине, но на первый раз в качестве пассажиров. Действительно, тачка лихая. А потом...

Странные ассоциации возникают порой. По поводу того, что случилось потом, Карташу упорно приходила на ум цитата из фильмов о сыщике Холмсе. Старина Шерлок там сказал, имея в виду одного охотника на тигров и частных детективов: «Есть такие деревья, которые растут нормально... но только до определенного момента. А потом с ними что-то происходит».

Точно так же на этой автомобильной презентации все шло нормально... до определенного момента. Затем все ломануло вкривь, вкось, наперекосяк и через пень-колоду. И, главное, непонятно, с чего и почему.

Может, он слишком много выпил? Хотя что он там выпил! Слезы, по офицерским-то мерилам...

Карташ не мог назвать точного момента *перелома*. Почувствовал, что с ним что-то не так, когда они с Машей ехали на заднем сиденье презентуемой телеги. Как-то нехорошо *прильнуло* тепло к затылку и височным областям, голова слегка закружилась, онемели пальцы на руках. Тогда он списал это состояние на алкоголь и понадеялся на свежий воздух, которым продышится, как только они выберутся из машины. И действительно, свежий воздух помог. Отпустило, разве что продолжало ломить виски. Карташ успокоился... однако, как выяснилось вскоре, совершенно напрасно.

Последнее, что помнил Карташ, это как он вышел из холла на улицу, закурил. А потом наступил провал. Темный, как полет в сухой колодец...

Такие казусы случаются с пьющими людьми: р-раз – и с какого-то момента, после очередной рюмки, события вечера словно ластиком стирает, сколько не вспоминай – ни за что не вспомнишь. А, как впоследствии выясняется, ты действовал, разговаривал, перемещался, еще добавлял – но исключительно на автопилоте. Случались подобные истории в свое время и с Карташем, чего уж там, бывало, и не раз. Но опять же – в *этот* раз он выпил до смешного мало, с ним не то что провал не мог случиться – примитивная икота приключиться не посмела бы...

А по симптомам имело место точь-в-точь алкогольное отключение. Карташ тоже действовал, разговаривал, перемещался – и все на автопилоте.

Впрочем, одно включение сознания все же имело место.

Карташ вдруг обнаружил себя в глубине парка. Он стоял под разлапистой сосной, сверху, под порывами ветра сыпалась хвоя. Где-то вдали играла музыка. Романтическая обстановка, бляха-муха. Вот разве что в двух шагах стоял не добрый друг и не возлюбленная, а тот самый черноволосый и серьгоухий, от общения с которым предостерегал Карташа собеседник по имени Виталий Сергеевич. И больше никого в пределах прямой видимости не наблюдалось.

— Слушай, чмо, — нехорошо выпятив челюсть, проговорил сынок непростого папаши. — Тебе же сказано было по-хорошему — получи и отвали. Ты что, очень крутой?

— Наверно, где-то есть и покруче, — с трудом выговорил Карташ, потому как речевой аппарат подчинялся ему из рук вон. И слова вышли невнятными, малоразборчивыми.

— Э-э, да вы нажрались, ваше благородие, — брезгливо произнес папашин сынок. — Хер ли я с тобой толковать поперся? На тебя достаточно холуев спустить...

Он повернулся, чтобы уйти.

— Козел. На зоне ты будешь самым голосистым петухом, — сказал Карташ, в сей момент ощущая некие удивительные спокойствие и легкость во всем теле... хотя это тело заметно плохо слушалось своего хозяина.

— Что? Что ты сказал, «навозное» — кто? — нехорошо прищурился папашин сынок, который враз передумал уходить со сцены.

Он стремительно приблизился к Карташу, взял его за отвороты пиджака, встряхнул, швырнул на сосну, выталкивая сквозь сжатые зубы невнятные, но насквозь угрожающие междометия. Карташ извернулся и впечатал сынка спиной в ствол. Но тот тоже оказался не промах и подсечкой завалил Карташа. Падая, Карташ потащил следом за собой и сынка. Не эстетично завозились на земле. Алексей чувствовал идущий от земли холод.

Короче, катались по земле недолго и до серьезного членовредительства дойти не успели: очень скоро и очень поблизости раздались голоса, кто-то принялся разнимать их...

«О господи, – мысль, как яркая вспышка, полыхнула в мозгу, – угораздило же вляпаться... И это называется светское мероприятие...»

И последовал окончательный, бесповоротный провал. Больше ничего от того вечера не уцелело, ни единого обрывка...

Глава 7

А ПОУТРУ ОНИ ПРОСНУЛИСЬ

Сознание вернулось, словно нажали на выключатель. Карташ понял, что очнулся он от ударов по голове – частых, глухих и очень болезненных. Будто по темени лупили киянкой.

Впрочем, сразу стало ясно, что по голове его никто не лупит, просто под черепом болезненно отражаются отзвуки ударов. А удары эти походили на настойчивый и требовательный стук в дверь.

Во рту стоял премерзкий привкус, как коты нагадили. Хотелось как можно скорее напиться чистой и холодной воды, прополоскать пасть, старательно поработать зубной щеткой, очистив зубы от этой дряни.

Лежащий на спине Карташ открыл глаза и увидел над собой светло-коричневую древесину кроватного каркаса, свешивающийся на него край цветного пододеяльника и над всем этим – высокий белый потолок. Алексей приподнялся на локтях и огляделся. Ага, знакомы номер в гостинице «Арарат». И кто-то из коридора действительно лупит в дверь...

Карташ сел, прислонился к кроватному боку. От движения в глазах помутилось, мгновенно налился свинцом затылок, снизу вверх пошла волна тошноты. Пришлось вновь прикрыть глаза.

Колотьба в дверь меж тем прекратилась, принеся нешуточное облегчение больной голове. И Карташ снова смог поднять чугунные веки.

Первое, что он увидел на сей раз – лужицу блевотины неподалеку от двери, на границе ковра с узбекским орнаментом и паркета. Сия деталь интерьера, спору нет, прекрасно согласуется с его хреновым состоянием, с тем, что очухался он не где-нибудь, а на полу. М-да, как нехорошо-то получилось... Да что ж это, в самом деле, неужели он так напился? Или пивом с шампанским паленой водкой потом догонялся?

Удары в дверь утихли, но снаружи затеялась малопонятная возня. Невнятным шумом доносились голоса, кто и что говорит, было не разобрать – со звукоизоляцией в гостинице все обстояло как нельзя лучше, двери-то из натурального дерева и к косяку пригнаны наиплотнейше. Ага, удалось расслышать громкий мужской голос, что-то властно потребовавший, и не менее громко ответивший ему голос женский.

Карташ увидел за стулом, стоящим перед зеркальной дверцей встроенного шкафа, свое пальто, комом валяющееся на полу. Явно хотели набросить на спинку, но не попали. «Хотели, – про себя усмехнулся Карташ. – Сам и кидал, кому еще... А эт-то что такое?» Возле шкафа-купе расположились мужские остроносые ботинки, напрочь Карташу незнакомые. Алексей перевел взгляд направо и увидел еще один ком, темно-серый, похожий на скомканные брюки... но, опять же, таких брюк у него отродясь не было.

Может, он не в своем номере? Наверняка, номера в гостинице стандартные и по размеру, и по меблировке. И где Маша, кстати говоря?..

В дверном замке завозили ключом. Но что-то там, похоже, не срасталось. Слишком долго возятся.

Алексей, понимая, что сейчас его измученному организму придется крайне несладко, попытался встать. Но именно что попытался. Не получилось. Вероятно, он сделал это слишком резко, как привык в своем нормальном состоянии. Но состояние от нормального явно отличалось – разительно и в худшую сторону. В голове тут же зашумело, будто включили генератор помех, ноги сделались бескостными, вестибулярный аппарат отказал напрочь, и Карташ вновь опустился на пол.

Да не опустился – рухнул. Внутри все оборвалось. То, что он увидел на кровати... «Похмельный синдром. Глюки. Бред. Я еще сплю», – отстраненно пронеслось в голове. И чьи-то настойчивые попытки вломиться в номер тоже вставали на свое законное место в этой картине.

И уже ничего нельзя было успеть... Так уж и ничего?

Он собрался с духом и с силами, повернулся, взялся пальцами за край кроватной спинки и...

И в этот момент дверь, хрястнув выломанным замком, распахнулась. По полу затопало множество ног.

Карташ обернулся, успел увидеть несущиеся к нему от двери плотные фигуры в кожаных куртках, серую милицейскую форму, разглядел замерших в дверном проеме женщин в гостиничной униформе. И в этот миг им овладело полнейшее безразличие. Будь что будет, теперь уже все равно...

Карташа повалили на пол, повернули лицом вниз, голову припечатала к ковру сильная пятерня. Руки выкрутили за спину и на запястьях защелкнули браслеты.

– Готов, с-сучара, – удовлетворенно произнес чей-то голос.

– Лежать! – по устоявшейся, видимо, привычке грозно проорал кто-то. И видимо, все по той же привычке задержанному для пущей профилактики вмазали ладонью по затылку.

А Карташу, который и без того балансировал на краю сознания, и этой малости хватило, чтобы провалиться в беспамятство.

Впрочем, на сей раз он пробыл в забытьи недолго – скорому возвращению в себя поспособствовали громкие голоса:

– Эй, ты там аккуратнее орудуй! Нежненько! Нам только прокурорских воплей не хватало.

– Ага, в кармане пальто обнаружен паспорт на имя... Понятые, поближе подите-ка... Ага, Карташа Алексея Аркадьевича. Это который у нас? Ну-ка... А, тот, что на полу. О, блин, это че тут у нас такое? Бумажка с телефоном...

– Надо сказать этой бабе, когда вернется, чтобы лимонаду какого-нибудь принесла. В горле пересохло от этой херни...

– Эй, осторожней там ходи, не вляпайся!

– Вот дерьмо...

– Луканин будет счастлив. Двойное убийство – и раскрыто по горячим...

Первое, что увидел Карташ, открыв глаза вторично за это утро («А утро ли?») была вешалка. Вот так уж удачно попал взгляд. А на вешалке покачивалась незнакомая кепка. Именно покачивалась, будто ее только что водрузили на крюк или, проходя мимо, качнули, как маятник, из игривых побуждений. И Карташ вдруг со всей пронзительностью понял, что эту кепку он не забудет никогда. Многое сотрется из памяти, утечет и изгладится, а сей головной убор он будет помнить вечно, снится будет ему эта кепка, можно не сомневаться...

— Оп-па! — радостно воскликнул кто-то. — Гляди, очухалась наша Чекатила!

Грубым рывком Карташа подняли с пола и усадили, прислонив спиной все к той же кровати. Алексей увидел перед собой довольно-таки молодую и довольно-таки простецкую физиономию. Лыбящуюся. Во рту, в верхнем ряду у улыбчивого не хватало зуба. И применительно к этому персонажу так и просилась кличка Зубастый.

— Твоя работа? — не переставая улыбаться, поинтересовался он. И заговорщицки подмигнул: мол, сознайся и это останется между нами. Но тут же сморщился: — Ну и разит же от тебя, приятель! Сколько ж, болезный, ты вылакал?

— Воды дай, — попросил Карташ. Язык едва ворочался во рту. — Там в ванной стакан... из-под крана.

— Воды, говоришь? — еще шире осклабился Зубастый. — А за что? За это вот?

Он вдруг рывком поднял Карташа с пола и развернул в сторону кровати.

— Полюбуйся, че ты натворил, мудило.

Алексей эту картину уже видел мельком, теперь ему дали рассмотреть подробно. На кровати, на заляпанных кровью простынях лежали двое совершенно обнаженных людей. И обоих Карташ знал. Правда, он не помнил, как звали по имени того, кто лежал лицом вверх. Хотя имя ему вроде бы называли... Зато он помнил его фамилию, ее-то уж не забудешь никак, потому что фамилия у него громкая – благодаря папаше, который во Москве-столице-матушке непотопляемо плавает по высшим сферам, кочуя из Думы в министры, из министров в предводители оч-чень денежных фондов. Черные волосы (в смысле – у сынка), серьга в ухе. С этим хреном он, черт побери, кажется, поцапался ночью в парке, типа под сосной. Все бы ничего, что поцапался, да вот беда: сейчас грудная клетка чернявого была повреждена входным пулевым отверстием. Имелась еще и аккуратная дырка во лбу – несомненно, контрольный выстрел.

А вторым человеком на кровати была Маша.

Она лежала, уткнувшись лицом в подушку. Каштановые, с рыжинкой, волосы разметались по наволочке. До талии она была укрыта одеялом, лишь ноги от лодыжек высовывались из-под одеяла. Хотя вряд ли приходилось говорить о какой-то радости, но все же Карташ был рад, что четверо незнакомых мужиков не пялятся сейчас на наготу любимой женщины.

Маша была убита двумя выстрелами под левую лопатку. В ее случае контрольного выстрела в голову сделано не было.

«А самое смешное, что я не могу быть полностью уверен, что это не я, – вдруг подумал Карташ. – Я же ни хрена не помню...»

– Досыта налюбовался? – рявкнул над ухом Зубастый.

– Эй, парни, сюда посмотрите-ка! – позвал человек в сером растянутом свитере. Он разогнулся, держа через платок двумя пальцами за ствол пистолет. – А вот и волына. Понятые, всем видно? Орудие убийства, так сказать. Валялось под кроватью. Че-то я раньше таких не встречал. Импортный, что ли...

Бесспорно командиром у них был коренастый лысоватый человек – грузно сидел в распахнутом плаще на стуле, за которым валялось пальто Карташа. Он сказал отрывисто, вытрясая сигарету из мятой пачки «Союз-Аполлона» и косясь на ствол, как ворона на кусок сыра:

– Наш. «Вектор СР-1». Бывший «Гюрза». Хорошая машинка. И серьезная. На Апрашке или там на «Юноне»* у случайного продавца не купишь...

– На Апрашке и на «Юноне» даже «Град М» реально купить, – возразил орел в сером свитере, но главный его не слушал, продолжал вещать:

– И вообще все просто замечательно. Люблю, когда все на месте – жмурик, преступник, орудие и мотивы. Давненько нам так не везло.

– Будет еще лучше, если пальчики на месте, – сказал худощавый рыжеволосый субъект, который внимательно, будто за этим он сюда и пришел, изучал висящую на стене копию «Вечера в Венеции» старика Айвазовского. – До нашего прихода этот штымп явно валялся в отрубе. И судя по амбре, что повисло тут под люстрой, он вряд ли ваще мог что-либо соображать. И про «пальчики стереть» тоже.

– Может, оттиснуть на всякий случай? – лениво предложил Зубастый, глядя на начальника. – Чтоб уж наверняка. Чтоб уж потом не отмазался...

* Вещевые рынки в Санкт-Петербурге.

Произнесено было – и определенно осознанно – с такой интонацией, что поди сообрази, шутит он или всерьез.

А старшой определенно задумался. Женщины в гостиничной униформе опасливо подошли ближе, прикрывая рты ладошками.

Что бы он там ни надумал, Карташ не собирался позволять проделывать с собой подобные фокусы. «Вышибу стулом окно к чертовой матери», – решил он для себя.

– Если начнет запираться, снимаем и пальчики, и скальп снимем. Оно никогда не поздно, и не впервой, – сказал старшой, закурив. – Но если он накатает чистосердечку, то можно обойтись и без... лишних улик. Все разойдутся довольными, нам – срубленная «палка», ему – добровольное сотрудничество.

– Тем более, что картина ясна до очевидности, – сказал тот, кто рассматривал Айвазовского. – Пальчики есть, пальчиков нет – все равно сядет как миленький.

Карташ вдруг понял, что его элементарно разводят, разыгрывают с ним дешевый ментовский спектакль, произносят давно разученные партии.

– Как мужик мужика я тебя понимаю, – ободряюще хлопнул Карташа по плечу Зубастый, от чего Алексея вновь затошнило. – Приезжаете втроем, чтобы продолжить веселье, ты отрубаешься. Неожиданно проснувшись, видишь, что твоя подруга развлекается с корешем, которому ты всецело доверял. Приходишь в состоянии аффекта. Бах-бах, два трупа, и содеянного не изменишь. Короче, много не дадут. Но тут, брателло, надобно вовремя подсуетиться, вовремя сознаться и раскаяться. Иначе рискуешь не...

– Твою мать!

Возглас издал человек в сером растянутом свитере. И столько в этот возглас было впихнуто эмоций, большей частью негативных, что Карташ даже мог не поворачивать головы в его сторону – и так понятно, что опер в сером свитере установил личность папашиного сынка.

– Водительское удостоверение, – «серый свитер» пересек комнату и вложил документ в руку старшего. Тот взглянул и присвистнул. К старшему подошли остальные опера, почувствовав, что происходит нечто из ряда вон.

– То-то мне морда показалась знакомой, – сказал Зубастый и постучал себя по лбу костяшкой большого пальца.

– А это точно... тот самый? – осторожно спросил старшой. – Сынок... *Гаркалова*?

Сердце у Алексея бухнуло, остановилось на бесконечную секунду и заколотилось в ритме рэйва.

Кто ж в современной России не знает старика Гаркалова? Разве что те, кто не имеет телевизора или вообще игнорирует передовицы «Времени» да «Вестей», где рассказывается о правительственных буднях...

Что ж это получается... Получается, Карташ вроде как завалил отпрыска *самого* Гаркалова?!.

– Точняк, – кивнул Зубастый. – Я как-то сперва в рожу не вгляделся, потому что даже в бреду не мог представить. Но теперь вижу – он. Доводилось однажды полюбоваться вблизи. Во ведь, бля, подарочек получили... Протокол, бляха-муха, куда дели?

Все опера удивленно воззрились на Карташа. Вышло что-то вроде немой сцены из «Ревизора», разве что только ее участники не молчали, а глухо матерились себе под нос.

— Значит так, — старшой резко поднялся со стула. — Колян, — он взглянул на Зубастого, — зови Пашку и вези этого фрукта в отдел. Остальное... сам знаешь.

Зубастый шагнул к Карташу.

— Погоди, — сказал старшой. Приблизился и тихо — но все же Карташу удалось расслышать — добавил: — Попробуй пробить, откуда ствол и что еще на нем висит.

— Ну, ты от меня много хочешь, — громко откликнулся Зубастый. — Попробую, конечно...

Карташ, как человек не совсем чуждый правоохранительной системе, без труда въехал, о чем речь и в чем тут дело. Все предельно ясно. Это — районные опера. Убийство случилось на их территории, поэтому они и примчались. Но теперь, когда вскрылись обстоятельства и среди фигурантов всплыло имя сынка наизвестнейшего папаши, да еще всплыло применительно к жмурику, дело вместе с подозреваемым от районщиков заберут. По идее, забрать должны убойщики из управы, хотя могут и фээсбэшники. Но в любом случае пройдет некоторое время, никак не меньше часа. Это время подозреваемый будет находиться в отделе, в распоряжении местных, то бишь вот этих самых оперов. И расколоть подозреваемого за это время, выколотить из него признание и передать почти раскрытое дело тем, кто придет забирать его себе, — тут даже не дело чести, не желание утереть нос заносчивым коллегам из управления, хотя и такой аспект несомненно присутствует; в первую очередь, тут маячит возможность заработать нехилые служебные очки на быстром раскрытии убийства Гаркалова-младшего. Можно надеяться на повышение, на досрочные звездочки, на то, что возьмут на заметку, а со временем заберут в ту же управу, для начальства райотдела это возможность повысить показатели, быть хваленным на совещаниях разного уровня, попасть на хороший счет и тэ дэ, и тэ пэ...

Бить его, наверное, в отделе не станут. А вот прессовать начнут плотно и старательно. Но Алексею сейчас было все равно.

— Давай-ка бабки бери, какие есть, бритву, зубную щетку и шагай, — с деланным сочувствием скомандовал Зубастый. — Понадобятся... Паша!

В номер, распахнув приоткрытую дверь, заглянул совсем молодой парень в форме с сержантскими нашивками и с «калашом» на плече.

— Примешь бойца и волоки в машину.

...Закончив повесть, которой нет печальнее на свете, Карташ махнул водки и запил водой из кружки. Хата номер четыре-шесть-* понемногу начинала кружиться и качаться перед глазами.

Сокамерники некоторое время молчали.

— Ну чисто как в сериале... — сказал наконец Квадрат.

— Наркологическую экспертизу делали? — перебил Эдик — насквозь оперским тоном.

Алексей вяло пожал плечами:

— Да, чего-то проверяли вроде. Через сутки примерно... Никаких следов в крови. Значит, просто пьяный был. Да я и не отрицал...

— Есть наркотики определенных групп, которые без следа выводятся из организма за несколько часов, — покачал Эдик головой. Сделал паузу и добавил: — Причем, не обязательно наркотики... Эти тупорылые уроды тебе прямо говорили – мол, ты убил? И понятые слышали? Эх, блин, жалко меня там не было... Что – «а что»? А то, что подобные обвинения может только суд выносить! А теперь рассказывай, что подписывал, когда, что не подписывал...

– Так, стоп, – перебил Дюйм. – Эдик... Эдик, опер херов, я к кому обращаюсь!

И посмотрел на мента долгим взглядом, в котором явственно читалось: «Ты че! А вдруг это подсадка?», – и добавил другим уже тоном:

– Не тяни ты парню душу, не видишь, и так ему паршиво...

– Да ладно, – выговорил Карташ. Язык уже несколько заплетался. – Пусть спрашивает, я-то чист и невинен, как незачатый младенец.

Ну не рассказывать же им о своем славном прошлом и о Кацубе с Глаголевым...

– Слушай, а может, ты шпиён? – спросил Эдик. – Промышленный, а? Или агент ЦРУ. Под Гаркалова копаешь, чтоб, значит, Россию развалить? Тогда почему не в фээсбэшной тюрьме сидишь?..

– Ага, – слабо усмехнулся Алексей. – Честь имею представиться: агент Бен Ладена, личный номер тридва-два – два-два-три. Собираюсь вот «Кресты» взорвать, на устрашение правильных урок...

– Да ладно, не заводись. Коли правду рассказал и ничего не утаил, значит, все просто. Не бывает, вишь ты, сложных преступлений, уж поверь специалисту. Либо вокруг женщин все вертится, либо вокруг денег. И только. Остальное – вариации на тему.

– Ну да, я из-за бабок бабу загасил. Очень смешно.

– Э, брат, – пригляделся к Карташу Дюйм, – да ты уже поплыл... Давай-ка баиньки. Переспи это дело, здесь вечер помудрее утра будет...

И в самом деле, водка ударила в голову, резко потянуло в сон. Карташ безропотно кивнул, молча поднялся. Покачиваясь, раскинул постель, и полез на уготованную шконку, прямо в одежде.

– Ты офуел? – услышал он сквозь дрему яростный шепот Дюйма. – Если хата не «плюсовая»*, так языком можно трепать? Чего ты к нему с вопросами полез?

И – равнодушный ответ Эдика:

– Про тебя, что ль, я трепал? Расслабься, ваша честь. Мужик и правда не при делах.

– С чего ты взял?

– Чтоб в одну камеру со мной, опером, совали подсадку с такой навороченной и такой дырявой легендой?..

Эт-то верно, тут опер попал в точку. История и в самом деле была излишне сложной и сияла дырами, как дуршлаг на просвет... А самая главная дырка (для, Алексея, по крайней мере), заключалась вот в чем, и вот что вселяло в его душу пусть и призрачную, но все же надежду. Подумайте: даже если Карташ собственноручно застрелил Машу с ее нечаянным знакомым, а такую версию со счетов сбрасывать нельзя, то... *из чего*, скажите на милость? Никакого ствола при нем не было. Ни «Вектора», ни даже детского водяного. А раз не было, значит...

Ага, вот именно. Значит, очень грамотная подстава.

---

* То есть камера не прослушиваемая.

Вопрос лишь: кто подставил и зачем?

Ч-черт...

В тайге, объективно глядючи, было проще. Да и после, в Туркменистане, и потом, в Шантарске, — проще в том смысле, что таежно-туркмено-шантарские приключения походили более всего на компьютерную игру-стрелялку: беги и стреляй, стреляй и беги. А тут куда бежать? В кого стрелять?!

Конечно, крытка не зона, тут и расклад совсем другой, да и обстоятельства, да и — что там говорить — там, где он служил, хоть воздух был свежий, а здесь?! Хата, спасибо хоть «красная», да параша, да умывальник и окошко, причем с *отсекателем*, откуда видно одно только небо; которое в Питере, если честно, очченно редко радует глаз.

Алексей отвернулся к холодной стене, закрыл глаза и немедля провалился в черный колодец сна. Без всяческих сновидений.

И плевать ему в этот момент было, нарушает он установленные в хате правила или нет.

И плевать было на то, будут его гасить сонного, или же погодят до побудки.

Глава 8

«А В ЭТО ВРЕМЯ,
В ЗАМКЕ У ШЕФА...»

В тот момент, как Алексей Карташ спал мертвецким сном, в Москве о нем думал человек, который Карташа никогда в этой жизни не встречал, никогда о нем не слышал, и вообще до сего дня не подозревал о существовании некоего старшего лейтенанта внутренних войск...

Тишина в кабинете стояла полнейшая, небывалая. Если и могло ее что-то нарушить не по *воле* хозяина – только звонок по телефону прямой связи с Самим. Остальные телефоны были отключены. А по воле хозяина кабинета тишину нарушали единичные звуки: постукивание бутылочного горлышка о край стакана, шипение газовой зажигалки, пощелкивание колпачком авторучки и тяжелое дыхание.

Хозяин кабинета, Роман Борисович Гаркалов, поднял бутылку на уровень глаз. От пол-литры осталось граммов сто пятьдесят, триста пятьдесят легло на грудь, но водка никак не забирала, желанное опьянение все не приходило. Гаркалов запрокинул голову и выпил оставшееся прямо из горла. В один прием, не отрываясь.

Это зрелище, бесспорно, способно было бы поразить какого-нибудь представителя из числа простого электората, доведись ему такое улицезреть. Это ж не Ванька-сантехник из горла хлещет. Из горла хлещет известнейший в стране человек, уже второе четырехлетие не покидающий кремлевского небосклона – в недавнем прошлом министр, впоследствии видный думский деятель, а ныне председатель Фонда, о котором, чтоб было все понятно, достаточно сказать лишь одно: через Фонд проходят так называемые благотворительные пожертвования на восстановление Чечни.

Впрочем, поправил себя Гаркалов, именно сегодня электорат не удивился бы небывалому зрелищу. Потому что именно сегодня по всем информационным агентствам прошла новость – у Гаркалова убили сына. «Никакой личной тайны, никакого уважения к личной беде. Для них – всего лишь сенсация и они только рады-радешеньки. С-суки», – вяло, без большой злобы подумалось ему. Журналистская бесцеремонность сегодня Гаркалова заботила мало.

Роман Борисович медленно обвел по-прежнему трезвым взглядом кабинет. Снова потянулся к пачке «Милд-севена», хотя от выкуренных сигарет во рту стояла горечь. (Курить в кабинете, как и курить на людях он перестал давно. САМ не выносил табачный дым и не жаловал курящих, поэтому весь кремлевский круг срочно бросил смолить. Гаркалову, курившему с пятнадати лет, бросить было тяжело, а то уже и невозможно, и чтобы забить желание, он жрал таблетки с никотином – вон, ими весь верхний ящик завален. Курить он позволял себе только дома, по окончании тяжелого рабочего дня. Но сегодня на все плевать.)

За последнее время он привык к тому, что нерешаемых проблем для него нет. Сегодня со всей страшной очевидностью открылось, что он себя обманывал. Сына ему спасти не удалось – при всех его возможностях и средствах. И ведь знал, что с ним может произойти... всякое. И несколько раз пытался повлиять. А потом оставил попытки, решив для себя, что пока он наверху, сумеет вытащить Димку из любых неприятностей. Оказывается, не из любых...

И теперь уже ничего не поправишь.

Но он знает, что должен делать.

Гаркалов нажал на кнопку вызова связи с приемной.

– Шилов пришел?

– Да, здесь, – коротко ответил секретарь. – Впустить?

– Впускай.

Почти сразу же после этого распахнулась массивная дубовая дверь, в кабинет скользнул среднего роста человек, плотно прикрыл дверь за собой и бесшумно, кошачьей походкой прошел вдоль длиннющего стола для заседаний. Безукоризненно сидящий костюм, плакатная прическа и моложавая фигура. В этом Гаркалов всегда завидовал своему помощнику – Шилов как-то находит время, чтобы следить за своей фигурой, не давать расти животу и обвисать плечам...

– Обойдемся без соболезнований. Садись, – хозяин поднялся, вышел из-за своего рабочего стола, шагнул к бару, достал оттуда бутылку граппы и два стакана, обошел стол и сел рядом с Шиловым на соседний стул, предназначенный для рядового посетителя. Свинтил пробку, налил себе и помощнику.

– Там, – Гаркалов махнул рукой в сторону полок со всякими бюстами, папками и прочим барахлом, – конфеты, если надо. Другой закуси нет.

Шилов поблагодарил, но остался на месте.

– Помянем, – сказал Гаркалов.

Выпили, не чокаясь.

– Ну, что скажешь, Леонид?

Несмотря на всю неопределенность вопроса, Шилов не стал уточнять – дескать, что вы имеете в виду.

– Я же вас предупреждал, Роман Борисович. Надо было отправить его в Канаду, сидел бы он там сейчас...

– Не трави ты! – Гаркалов махнул рукой и снова разлил граппу по стаканам. Он, кажется, все-таки начинал хмелеть, и теперь не терпелось добавить. – Давай говори, кто он?

Гаркалов выпил. Шилов пить не стал, а достал из кармана блокнот.

– Случайный человек, никоим образом не имеющий отношение к... некоторым занятиям Дмитрия. Ваш сын...

Шилов замялся. Гаркалов понял, что помощник ждет сигнала и этот сигнал дал:

– Говори без обиняков.

Роман Борисович Гаркалов, демонстрируя, что сегодня они на равных, поднялся, сам сходил к рабочему столу за сигаретами и пепельницей. Протянул сигареты Шилову. Разве что прикурить не поднес, а просто подвинул зажигалку помощнику по столешнице.

– Говоря без обиняков... – снова начал Шилов, – ваш сын Дмитрий пал жертвой своего чрезмерного увлечения женским полом, а еще – убежденности в том, что все ему сойдет с рук. Как сходило до этого. Но на сей раз он, во-первых, напоролся на провинциала из Сибири, привыкшего поступать по таежным законам и плохо осведомленного, кто есть кто в столицах, а во-вторых, на ревнивца, и вдобавок вооруженного. Плюс какое-то прямо чудовищное стечение обстоятельств. Плюс напились они все. Арестованного за убийство вашего сына зовут, – Шилов заглянул в блокнот, – Карташ Алексей Аркадьевич, прибыл в Санкт-Петербург из Шантарска. Старший лейтенант внутренних войск. В Шантарской области проходил службу в ИТУ номер ***. И это несмотря на то, что его отец – генерал от ПВО. Отец жив-здоров, проживает здесь, в Москве, по-прежнему служит в штабе округа, имеет неплохие связи. Все указывает на то, что у отца с сыном натянутые отношения. Карташ прибыл в Питер в сопровождении некой Топтуновой Марии Александровны, которую тоже... нашли вместе с Дмитрием.

Шилов загасил окурок.

– Правда, не очень понятно, как эти двое оказались на презентации. Совершенно иного круга люди. Вероятно, приглашение им сделали какие-то их знакомые по Шантарску. Или старые знакомые этого Карташа по Москве. Можно установить...

И выжидательно замолчал.

– Ни к чему, – сказал Гаркалов.

– Вы только скажите, Роман Борисович, и мы проведем полное дознание. Выясним про этого Карташа все, начиная с раннего детства, про всех его родственников и дружков. Я сейчас же могу позвонить Торопову...

Шилов вновь замолчал. Гаркалов ничего ему не отвечал, шеф вновь налил себе граппы и залпом выпил.

– Все же Дмитрий своей смертью не вовлек нас в неприятную историю, – осторожно сказал Шилов. – Не дал пищу нашим... недоброжелателям. Бытовое убийство. Плохо, конечно, но вы же знаете, что могло быть еще хуже...

Роман Борисович резко поднялся – Шилов встрепенулся и замолчал. Гаркалов направился вокруг стола. Под его тяжелыми шагами скрипел паркет.

– Сынок у меня был, конечно, еще тот... – остановившись, сказал Гаркалов. Повторил: – Еще тот... Но он *мой* сын. Не верю, что этот твой Таркаш не знал на кого поднимает руку! Должны были сказать, *чей* это сын! На презентации кругом люди были! Этот гад на *мою* кровь руку поднял! Какой-то портяночник, шваль, мелочь – и посмел!!!

Лицо Гаркалова побагровело. Ладони сжались в кулаки. Гаркалов оперся кулаками о столешницу и всей массой грузного тела навис над столом.

– На мою кровь, на меня руку поднял, – тихим, но оттого не менее страшным голосом повторил Гаркалов. – Он не должен жить.

Шилов внимателько смотрел на шефа, ожидая продолжения.

– Он не должен жить, – повторил Гаркалов, тяжело опускаясь на стул. – Ты можешь это... устроить?

Роману Борисовичу Гаркалову не к кому больше было обратиться с такой просьбой. Его всесилие, как сегодня выяснялось, было весьма ограничено. Да, он запросто, по одной лишь прихоти, мог купить то, на что рядовому человеку не накопить из двести лет беспорочного труда на благо отечества. Он мог разрушить любую, даже крупную фирму, оставив без работы тысячи человек, а мог и простить. Он мог бросить все и отправиться доживать дни на Канары... Но уничтожить одного-единственного человека было, оказывается, не в его власти. При всех его деньгах и связях! Тем более, когда все твои связи находятся исключительно в кругу деловой и чиновничьей элиты России. Ну и к кому подойдешь с *такой* просьбой? А если подойдешь, то об этом сразу узнают посторонние, и, считай, приехал.

Конечно, он водил знакомство с силовыми министрами, однако... Да, к ним можно обратиться с *подобной* просьбой и даже, вероятно, они сумеют помочь. Вот только ты до самой смерти окажешься в их власти, они тебя этой твоей просьбой защемят, как капканом...

У Гаркалова по сути оставался только Ленька Шилов. «А если Шилов вдруг откажется? – с испугом подумал Роман Борисович. – Не самому же? Нет, отказаться Шилов не может. Он же понимает, что тогда я лишу его *всего*. И куда он пойдет?»

– Я могу это устроить, – преспокойно кивнул помощник.

Роман Борисович выпрямился, вернулся к своему месту, грузно опустился на стул, налил себе еще граппы.

– Я хочу, чтобы это случилось как можно быстрее.

– Я постараюсь, – просто сказал Шилов.

– И еще вот что, – Гаркалов закурил несчитанную за сегодня сигарету. – Сына не вернешь. Это понятно. Но я не хочу, чтобы вот этот гад так просто взял и умер. Я хочу, чтобы он... чтобы умирал долго и мучительно. Я хочу, чтоб его медленно резали по кусочкам, понимаешь, Леня? Я хочу, чтобы ему сделали «красный тюльпан»*. Сам знаешь, денег мне не жалко. Сколько надо, столько и выделю.

Они говорили откровенно, ни коим образом не сомневаясь, что разговор до посторонних ушей не дойдет. Кабинет был надежно защищен от любой возможной прослушки, не говоря уж про то, что его каждый день проверяли специальными приборами на наличие любопытных электронных насекомых... При тех денежных потоках, которые проходили через Фонд, иначе и быть не могло.

— Роман Борисович, — Шилов придал голосу успокаивающую мягкость. — Следственный изолятор «Кресты» — это... как бы это выразиться... не совсем то место, где возможны... г-хм... долгие процедуры. И вдобавок громкие. Для того чтобы обставить процедуру желаемым образом, надо вытаскивать человека на волю. Но подозреваемый в убийстве персоны такого масштаба — фигура сама по себе заметная, вот в чем беда. Просто так ее не выкупишь, к тому же там все-таки Санкт-Петербург, а не Бишкек. Деньги все не решают, Роман Борисович, слишком многих придется посвящать, кто-нибудь обязательно проговорится, а тюремные опера не дураки, нет-нет, да всплывет отец убитого... Короче говоря, чтоб вытащить его на волю, придется

---

* Кожа человека, подвешенного за запястья к крюку в потолке, надрезается вокруг талии, после чего производятся продольные разрезы — от талии к горлу. Получившиеся «лепестки» отдирают кверху и связывают в узел над головой приговоренного... Позвольте дальше не продолжать.

светиться, действовать *именами*, только так и не иначе, Роман Борисович. Может, все же обойдемся простым вариантом?

Гаркалов пробарабанил пальцами по столешнице.

– Есть же способы, – наконец просительно сказал он. – Иголки под веки, спицы под ногти, крючки в ноздри, до самого мозга... яйца в розетку, в конце концов!.. А яды! Яды, например, а? Ты же сечешь в ядах! От некоторых умирают в страшных мучениях. И долго умирают!

– Все равно яды использовать придется в условиях СИЗО, – сказал Шилов. – Этого... Карташа быстро переправят в медчасть, накачают морфином, он и перекинется легко и просто... Яд, как мне кажется, можно использовать только в том случае, если он моментального действия... Да и то поднимется шум, беготня начнется... Убийство в СИЗО – это не бомжа на помойке завалить, расследование начне...

– Да клал я их на шум, беготню и расследование! – взорвался Гаркалов. А потом неожиданно успокоился и невесело усмехнулся: – Да, наверное, ты прав... Вот абсурднейшая ситуация! Два руководителя высшего уровня сидят в кабинете, которому позавидовали бы даже некоторые губернаторы, и обсуждают, чем попроще и сподручнее спровадить на тот свет какого-то сибирского солдафона!

Роман Борисович пристально взглянул на помощника. Шилов прекрасно понимал, что шеф сейчас ни в коем случае не шутит. Он проверяет свои сомнения. И Шилов знал, что надо сказать:

– Возмездие – дело святое вне зависимости от рангов и чинов. Это вопрос чести. Мы хоть переоделись в костюмы и летаем самолетами, но внутри, *глубинно*, мы все те же изначальные дикари, которых может успокоить и примирить с самими собой только вид крови врага...

– И опять ты прав, – Роман Борисович хлопнул ладонью по столу. – Что ж, раз не получается медленно и мучительно... Эх, а жаль! Ну, тогда пусть просто умрет.

Гаркалов хищно усмехнулся.

– Нас никто не посмеет связать с этим... эксцессом, но в их головах, – вытянув руку, он показал пальцем в сторону двери, – пусть накрепко отложится, что Гаркалов никому ничего не прощает.

Идя по коридору, спускаясь в лифте в подземный гараж, выезжая из гаража на улицу, Шилов составлял план действий.

Стоит ли говорить, что это – равно, впрочем, как и все остальные – поручение шефа он должен исполнить в лучшем виде? Но, разумеется, без всех этих кровожадных вывертов в духе изысканного восточного душегубства. Следует всего лишь просто и надежно переправить в Страну Вечной охоты господина Карташа, арестованного по подозрению в убийстве господина Дмитрия Гаркалова, делов-то...

Конечно, организация убийства – это вовсе не то мероприятие, за которое Леонид Викторович Шилов брался с удовольствием. Чреватое мероприятие, что ни говори, как бы надежно ты не был прикрыт. Какое-нибудь дерьмо обязательно всплывет, не сегодня, так завтра, как надежно оно не было утоплено. Однако, берясь за это поручение, Шилов не колебался ни единого мгновения – потому что он находится в положении средневекового вассала. В положении самурая. Да-да: он – типичный самурай. И до последнего должен держаться своего феодала, то бишь шефа. Правда, дело тут не в фанатичной иррациональной верности самурая. А в том, что только вместе с шефом он есть могущественная фигура, без шефа же его акции обрушатся, как ценные бумаги какого-нибудь занюханного «Юкоса».

Нет-нет, не думайте, он, конечно, не пропадет. Пристроится где-нибудь и как-нибудь. Однако не пропасть – этого мало. Он никогда себе не простит, если упустит возможности, какие открывает близость к такому папе, как Р. Б. Гаркалов. Тогда придется уйти из высшего эшелона. Навсегда.

К тому же, ему не впервой выполнять, назовем это так, щекотливые поручения. Правда, подобные дела остались далеко в прошлом – в эпохе диких девяностых. Сейчас на любом уровне, а особенно на том, где пребывали они с шефом, дела решались иными способами: в кабинетах чиновников разных уровней, насылом на неугодных и мешающих прокуратуры, федералов, ментов, налоговой... Но тут выпал такой случай, что придется вспоминать былой опыт и восстанавливать подзабытые связи.

Остановив машину перед выездом на улицу, Шилов настучал на панели мобильника номер, который держал исключительно в памяти, не доверяя его ни бумаге, ни электронным записным книжкам. Абонент ответил после первого же гудка.

– Привет, – просто сказал Шилов. – Здоров? Готов к свершениям?

– А то! – бодро отозвался абонент.

– Тогда готовься и к встрече. Буду у вас Петербурге сегодня к вечеру. Пересечемся завтра утром. Подходы к месту твоей прошлой службы остались?

– Ах, во-от оно что... Ну, что... ну, приезжай, разберемся.

И по тому, сколь многозначительно абонент протянул это «во-от», Шилов сразу просек, что и тот просек. Абонент понял, что затевается и зачем он понадобился Шилову. И нет в этом никаких невиданных чудес дедукции. Перемножил два на два и получил искомое. Про убийство Гаркаловского сынка он, разумеется, наслышан, на кого сейчас работает Шилов, он знает, а тут Шилов собирается в Питер, проявляет интерес к бывшему месту службы, то бишь к «Крестам», и обратился не к официальному лицу, а к самому что ни на есть неофициальному.

– Если тебе понятно, то, может, обнадежишь меня? – спросил Шилов.

– Девяносто на десять, – обнадежил абонент.

«Прекрасно, один механизм запущен, – подумал Шилов, нажимая на мобильнике кнопку с красной телефонной трубкой. – Но, как известно, из двух стволов-то надежней будет. Надо бы пощупать за вымя этого, как его... Карновского, во как. Димочкиного давнего подельника, надежного соратника и верного компаньона... Мудилы, в общем, конченного. Он-то мне и обеспечит второй ствол... А уж для полной гарантии неплохо бы произвести выстрел из трех орудий».

Глава 9

ПЕНА ДНЕЙ

В неспешный и размеренный ритм «Крестов-ской» жизни Карташ вошел на удивление быстро...

Нет, стойте, о чем это мы. Почему – «на удивление»? Ничего слишком напряжного в здешнем бытие, против ожидания, не оказалось. Врали и книжки, и телесериалы.

Ну, например: все камеры в «Крестах» были одинаковые, по восемь «квадратов» (так уж придумал гений архитектора, ничего нс попишешь); стало быть, ни о каких хатах, где сидят по тридцать–сорок душ, не шло и речи: они, души эти, чисто физически не влезли бы в столь тесное пространство. Так что зачеркните нолик в *киношном* количестве заключенных, приходящихся на одну камеру, и вы получите реальное положение вещей: три–четыре человека на шестиместную хату. Не больше! Да и быт сидельцев проходил, в основном, без эксцессов и экстрима.

Подъем в шесть ноль-ноль (распорядок дня висел на стене), обход, прием заявлений, жалоб и писем, потом «завтрак» – баландеры разносят хлеб и сахар, потом часовая прогулка; причем не хочешь гулять – оставайся в камере, а хочешь – гуляй сколько влезет: с цириками всегда можно договориться, было б что-нибудь полезное, чем отплатить за вертухайскую доброту. Как заметил Карташ, в «Крестах» вообще процветал «натуральный обмен» – всяческие послабления, услуги, хавку, внеочередной душ, шмон по упрощенной программе (то есть чисто символический) или какие-то бытовые мелочи – словом, все, что способно улучшить существование подследственных и осужденных, можно было купить у надзирателей за сигареты, чай и даже перец (перец потом «перепродавался» другим сидельцам – в качестве то ли антисептика, то ли чего-то в этом роде, Алексей пока не понял). Собственно, холодильник в их камере именно так и появился. Дюйм, загремевший в «Кресты» по пятому аж разу и на этот раз парящийся здесь уже чуть меньше года, а потому с порядками знакомый не понаслышке, в свое время отмаксал местному лепиле; лепила, в свою очередь, выписал справку о том, что содержащийся в камере четыре-шесть-* действительно мучается желудком и ему необходимо свежее питание; забашлить пришлось еще нескольким людям, но в результате этой «цепочки» камера пополнилась негромко гудящим «Сименсом».

К слову говоря, Дюйм впечатление производил. Было в нем что-то от *хозяина* Топтунова, покойного отца покойной Маши – основательность, что ли, солидность... да, в конце концов, *авторитетность*. Насколько уразумел Карташ из обмолвок и обрывков внутрикамерных разговоров, на воле служил он судьей и за немаленькие бабки отмазывал от отсидки бойцов среднего и старшего бандитского состава. Процесс отмазки, вполне законный, кстати говоря, и *поливариантный*, как совесть демократа, был разработан давно и не им, Дюймом, и за двадцать лет отшлифован так, что никакие комиссии-проверки носа подточить не могли, как ни пытались... Что, впрочем, не мешало Дюйму время от времени менять судейское кресло на шконку в «Крестах». До суда над ним, как правило, дело не доходило: каким конкретно образом – посредством бабла в конверте или же друзей на разных уровнях, – Дюйм не распространялся, но дело его обычно закрывалось «за недоказанностью». Скорее всего, на прекращение следствия влияло и то, и другое: и деньги, и обширные связи.

Второй сокамерник, Эдик-каратэист, оказался парнем более открытым и статьи своей не скрывал. И в самом деле, был он ментом, опером, с дурацким именем Аверьян (так что «Эдик» действительно оказалось погонялом). Сидел он в ожидании суда за неправомерное использование табельного оружия: прострелил, вишь ты, ляжку одному пьяному баклану, когда тот сотоварищи попер на опера, вечерней порой мирно возвращающегося в отделение – после взятия штурмом квартирки, где засела компания ребят, промышлявших угоном авто. Возвращался на своих двоих, поскольку места в «козелке» не хватило, а подрулившие бакланы обратились к нему с нижайшей просьбой отдать на опохмел деньги, часы, куртку и ушанку из волка – подарок, между прочим, коллег из Архангельска. Адреналинчик в крови после победы над угонщиками еще вовсю плескался, так что... Ага, вот именно. И мог бы ведь, блин, отделаться НПСС* или, там, превышением полномочий, но следачка, коза, Эдику попалась новенькая, зеленая, в теме оперативной не шарила напрочь, да еще и грянула очередная санитарная кампания за чистоту рядов, рук и ушей – вот и залетел товарищ опер по полной программе.

---

* Неполное служебное соответствие.

Третий же квартирант, Квадрат, действительно был гибэдэдэшником. К месту и не к месту травил байки о тонкостях своей нелегкой службы, заводился с полуоборота – но о причинах, приведших его на нары, молчал, как партизан в гестапо. Впрочем, никто его особо и не расспрашивал.

Вообще, насколько уяснил Карташ, среди заключенных было не принято влезать друг другу в душу. Хочет человек рассказать – выслушаем с удовольствием, не хочет – не надо, никто приставать не будет. Дабы не заподозрил подсадку в ком-нибудь из расспрашивающих и дабы не усложнять обстановку. И без того накаленная атмосфера в камере время от времени разряжалась грозами и молниями. Оно и понятно: как бы толерантно не относились друг к другу сокамерники, но... представьте себе: изо дня в день видеть рядом одни и те же рожи, не имея ни малейшей возможности по собственной воле остаться наедине с самим собой... Искрой, от которой вспыхивал накопившийся в спертом воздухе газ раздражения, могла стать любая мелочь; буквально на следующий день после *подселения* Алексей стал свидетелем такой сцены: все было тихо и мирно, Дюйм листал какой-то журнальчик, Эдик курил у окна, как вдруг Квадрат ни с того ни с сего кубарем скатился со своей шконки, выхватил сигарету из пальцев Эдика и размочалил ее о собственную ладонь с криком: «Слушай, да ты задолбал уже курить! И так дышать нечем!». И – мигом полыхнуло: опер сграбастал гаишника за свитер у горла, шваркнул о стойку нар: «Ты че, охренел, урод? Сам, придурок, не куришь, что ли?!» По сигналу Дюйма Карташ резво вклинился между ними, растолкал по углам. Некоторое время противоборцы яростно пыхтели, порываясь сцепиться вновь, но очень быстро угомонились – и тут же снова все стало тихо и мирно, как и не было ничего... Вот так. Высоколобые ученные хмыри наверняка объяснили бы подобное поведение, приплетя какие-нибудь там «психологию замкнутых сообществ», «конфликтные ситуации в группе с ограниченным числом испытуемых» или еще что-то в этом роде, Карташ же был склонен называть это проще: «недостаток одиночества».

Как бы то ни было, жизнь в «Крестах» разительно отличалась от всего того, что Карташ видел по телевизору и наблюдал на зонах...

– По тридцать человек в камере? – хмыкнул Дюйм, когда Алексей подкатил к нему с вопросом насчет несоответствия собственных представлений и действительности, и, кряхтя, принял сидячее положение. – Ты че, сокол, «Бандитского Петербурга» обсмотрелся? Окстись... Нет, конечно, было такое, не спорю, – только давно, в перестройку еще, и не тридцать, а значительно меньше. В период накопления первоначального капитала, или как там это по основоположникам...

Дюйм мечтательно прикрыл зенки, как кот, обожравшийся сметаны.

– О, бля, тогда да, тогда, помню, братков закрывали пачками и утрамбовывали по хатам, как тесто... А что делать? Их же тогда развелось, что блошек на барбоске. И все, глан-дело, крутые, все на распальцовке и строят из себя авторитетов. Хозяев жизни, маму их через бедро... Во времена были! Я частенько в «Кресты» заглядывал, ну, по службе... так насмотрелся всякого. Тогда с ними не церемонились. Тогда чуть хавальник раззявят – трое оперов с дубьем к ним в хату шасть, и давай лупить направо-налево. Какие, в звезду, права человека?! Бычье – оно бычье и есть, только язык кулака и понимают... А теперь мы, брат, живем, как приказано считать, в цивилизованном государстве. Че нас по крыткам трюмить, коли денег на содержание и так не хватает? Кого под подписку выпускают, кого адвокат отмазывает... А те, кто, как я, например, сходу отмазаться не может, тоже ведь как-то должны тут жить, а? И цирики тоже жить должны. Вот и работает типа пакт о ненападении. Вертухаи нам жизнь не портят, а мы им не мешаем службу править...

– Старший истину глаголит, – встрял в разговор Эдик, свешиваясь со второй шконки напротив. – Ты с корпусным разговаривал? Ну, тем, который тебе всякие дурацкие вопросы задавал: православный ты или же, наоборот, смотришь «Аншлаг» с утра до вечера... Думаешь, просто так он спрашивал и в зенки тебе задушевно глядел? Щас. Это он гадал, куда бы тебя сподручнее определить. Чтоб не подсадить к настоящим уркам, или, там, к айзерам-мусульманам, к наркошам, браткам или, не бай бог, к малолеткам... Потому как попади ты не к нам – и набили б тебе морду в первую же минуту, а ему, корпусному, подмогу вызывать, а потом тебя в медчасть определять, и бумажки-отмазки писать насчет того, как членовредительство случилось... Тебе это надо? Так вот и никому не надо. Или наоборот: принялся бы ты сам ластами размахивать в мирной хате и права качать, покалечил бы кого-нибудь – и все по новой: подмога, санчасть, бумажки...

В общем, если забыть, за что именно Карташ попал в «Кресты», если вычеркнуть прошлое – Кацубу, малопонятное задание... Машу... главное – Машу... и если зачеркнуть будущее – суд, приговор, наверняка не оправдательный, зону, – то да, жить здесь было можно.

Но вот беда: ни прошлое, особенно ни в чем не повинную Машку, ни будущее, особенно принудительную поездку в тайгу за преступление, которое он не совершал, Карташ вычеркнуть не мог. Да и не хотел вычеркивать...

Там в самолете... В тесной туалетной кабинке, куда позвала его Маша, намекая насчет *глубокомысленно углэбить*, они занимались... нет, не любовью, конечно, – трудно совместить «любовь» и помещение, где это понятие было обличено в активное действие. Это была страсть, истовая и необузданная, будто там, в разреженном воздухе над Уральским хребтом, на высоте девять тысяч метров они уже знали, что отдаются друг другу в последний раз.

...Потянулись серые и вязкие, как патока, дни, сливаясь в один. Водка, увы, конкретно в этой хате была не частым гостем – дорого, не всегда безопасно было добывать, да и не всегда хотелось – по крайней мере троим ее обитателям. А четвертому... Четвертому было жаль: Алексей с радостью бы надолго ушел с запой с головой... но того бы ему не позволили: теперь Карташ понимал, почему столь странно переглянулись соседи по камере, когда он сказал, что ни родственников, ни друзей в Питере у него нет. Никого нет, значит, некому носить передачи, нет *дачек* – нет возможности купить те самые блага, о которых упоминалось выше. Сокамерники, люди не сволочные, тем не менее не собирались кормить-поить его на свои шиши, о чем было недвусмысленно объявлено Карташу на следующий же день: дескать, хотя вся хавка из дачек идет в общий котел, все время Карташьей отсидки в ожидании суда никто его, здорового и крепкого парня, кормить задарма не собирается. Так что придется как-то отрабатывать. Алексей обиду не затаил, прекрасно их понимая. Известное дело: табачок, он всегда врозь. А местную «пищу» жрать было категорически невозможно, вот тут книжки и телесериалы не врали...

— Ничего, — заметил однажды Дюйм, наблюдая, как Алексей ковыряется «веслом»* в кружке с макаронами. — Со временем привыкнешь. Жирок заодно сбросишь... Между прочим, у некоторых на местной диете даже язва затягивалась, ей-богу. Лично таких знаю.

Не ахти какие бабки со своего счета он потратил в первые же дни, по инерции, не думая об экономии — так что, сами понимаете... И что там было экономить?!

Казалось бы, вот они, те самые место и время, где деятельная натура Карташа может найти себе применение. Вклиниться в товарно-денежные отношения, на которых зиджелась вся внутрикрестовская жизнь, было делом плевым — для Алексея, по крайней мере. Вклиниться и начать зарабывать, чтобы, как минимум, не одичать и не оголодать. Чтобы не сойти с ума и выжить. Черт возьми, ведь он практически в одиночку раскрутил очень даже прибыльный бизнесок в пармском лагере! А уж тут сам бог велел. Но...

Но не было, понимаете ли, у деятельного Карташа ни малейшего желания крутиться, зарабатывать, вы-

---

* «Весло» – ложка.

страивать схемы и комбинации. Не было ни малейшего желания *выживать*. Конечно же, это временное, разумеется, депрессняк пройдет, как с белых яблонь дым, однако сейчас в душе у Алексея было столь пусто и тоскливо... в общем, никаких суицидальных мыслей в его голове не крутилось, однако и не о какой позитивной деятельности думать он не мог.

Да, еще вызывали к адвокату, день на третий, Алексей не мог точно вспомнить. «Таксистка» – тетка, сопровождающая заключенных на допросы и обратно, – провела его на первый этаж и запустила в одну из комнатенок меж двух устрашающего вида серых боксов с крошечными окошечками, подозрительно напоминающих средневековые камеры пыток. (Как позже объяснил Дюйм, если на допрос к следаку ведут, скажем, двоих подельников, то один дожидается в этом гробу своей очереди, пока допрашивают другого, чтобы, значит, они не смогли о чем-нибудь там сговориться.) Как и следовало ожидать, защитничек, государством назначенный, ничего полезного не привнес. Насквозь простуженный толстяк, бесконечно сморкающийся в простынеобразный платок, гнусаво плел что-то о возможности смягчения приговора, ежели Карташ напишет чистуху. Карташ чистуху писать не хотел. На что адвокат разводил пухлыми ручонками и убеждал, что отказ сотрудничать со следствием грозит, что психиатрическая экспертиза не выявит, суд не пощадит, и в результате подследственный превратится в осужденного и отправится на лесозаготовки. А статья сто седьмая, часть вторая, промежду прочим, предусматривает наказание сроком до пяти лет...

Расстались каждый при своем мнении.

Зато по возвращении в камеру Карташа ждал сюрприз. С одной стороны, приятный, а с другой – настораживающий своей загадочностью.

Карташу пришла дачка – непрозрачный полиэтиленовый пакет с написанными шариковой ручкой его фамилией и номером хаты. Так что здесь никакой ошибки не было. В пакете обнаружилось: пять блоков «Петра Первого», пять жестяных баночек «Нескафе», сыр в нарезке, молотый красный и черный перец, три баночки меда («Профилактика туберкулеза, – уважительно хмыкнул Эдик, – знающий человек посылает»), несколько упаковок чая в пакетиках, вяленая рыбка и кулек тыквенных семечек («А это от сердца, – прокомментировал Дюм. – То есть для»)... а на самом дне, каждая аккуратно завернутая в обрывок газеты, десять малюсеньких бутылочек с алкоголем разной градусности, таких, какие обычно стоят в минибарах приличных отелей.

– Богато, – задумчиво сказал Квадрат, разглядывая неожиданно привалившее Карташу счастье. – Значит, говоришь, на воле у тебя корефанов нет...

Карташ мигом вспомнил о Кацубе, но предположение отверг как несостоятельное. Тем более, Эдик тут же возразил:

– Подкорм не с воли. Это кто-то из *здешних*. Во-первых, в это время никто передачи носить не станет, подождут до завтра, а во-вторых – кто ж пойло пропустит-то...

– А цирик, который принес, он что сказал? – настороженно спросил Алексей. Это-то его и беспокоило: никто, ни одна живая душа не могла ему послать такой царский подарок.

– Ничего не сказал, в том-то и дело. Карташ, мол, тут обитает? Принимай, мол, для него гостинец. И даже ничего насчет претензий не спросил.

– Это не подкорм, – заметил Дюйм, – хавки-то точной нет... Это знаете что? Это «воробушек»* для нашего уважаемого «вована». И зело богатый, надо сказать, «воробушек», человек знал, что бедному узнику надо для подслащивания здешней пресной житухи...

– И кто его передал?

Ответом было молчание.

– Ну... Как бы то ни было... – раздумчиво сказал Карташ. В голову ему вдруг пришла шальная идея. А что, попытка не пытка... – Ладно. Плевать. Нехай это будет кошелек. И, насколько я понимаю, денежек вдруг оказалось в нем немало? Тогда, братья уголовнички, вот какое предложение у меня к вам есть – от которого, как говорится, вы не сможете отказаться...

Собственно, с этого именно момента события и помчались вперед – как поезд, отставший от расписания и теперь на всех парах нагоняющий график.

---

* Кошелек.

Часть вторая

КРЕСТОВЫЙ ОСТРОВ

Глава 10

АЗАРТНЫЕ ИГРЫ

Когда человеку просто предлагают деньги в обмен на услугу, то человек может и отказаться – например, посчитав, что услуга слишком уж... как бы это сказать... *вопиющая*. Потому что в мыслительном процессе задействован один-единственный механизм: механизм сопоставления количества денег и уровня услуги. Совсем другая история, когда человек *уже* должен тебе денег. И желательно, чтобы сумма была побольше. Захарченко долги отдавать было всегда страсть как неохота (а кому охота, скажите на милость?!). Особенно же неохота, когда нечем. Короче говоря, в этом случае в умственную работу включаются уже совсем другие механизмы. Эту нехитрую истину Леонид Шилов, соратник ныне неутешного кремлевца Романа Борисовича Гаркалова, освоил давно и использовал далеко не в первый раз. Сперва сделай человека твоим должником, а потом уж начинай с ним переговоры. Тем более – переговоры на такую тему. *Вопиющую*, можно сказать. Хотя должник и не догадается о ее *вопиюшности*.

Константин Захарченко охотно согласился на встречу с москвичом – приятелем, как тот отрекомендовался, Сереги Грушина, давнего знакомца Константина. Лет пять назад режимник Грушин из «Крестов» уволился, теперь, дурила, сидит охранником при каком-то офисе в Выборге, получая, дай бог, четверть от того, что он имел на своем посту в СИЗО. Однако

126

сам Захарченко Серегу поминал добрым словом – ведь именно хитрый режимник посвящал Костю в кое-какие тонкости тамошней жизни. И если б не Грушин, спился бы Захарченко от тоски и невеликой зарплаты. А так есть и кусочек хлеба с маслицем, и стимул не бухать по-черному, – дабы не упустить ниточки и не потерять контакты.

Короче, встретился он с обходительным и открытым москвичом. Посидели в кафе, потрендели с часок. Шилов проставился ужином, позадовал какие-то дурацкие вопросы, выслушал в ответ обойму «крестовских» баек.

А потом они переместились в казино. Захарченко легко дал себя уговорить – стоило Шилову намекнуть, что он сегодня при деньгах и они (именно *они*!) могут позволить себе немного лишнего. Благо перемещаться было удобно – через дорогу. Стоит ли говорить, что никакой случайности в выбора места для встречи не было и в помине?..

Казино это не считалось в Петербурге самым что ни на есть элитным, для отборной клубной публики. Да, тех, элитных, почитай, и вовсе не осталось – разве что какой-нибудь «Премьер» на Невском, да еще пара-тройка. Это давно, в прошлом веке, на заре перестройки, когда казино только-только открывались, а лишние денежки у граждан определенного сорта уже завелись – вот тогда казиношники, бывало, понтовались и выдрючивались: только по клубным картам или только при галстуках и *пинжаках* (бандитов, понятное дело, пуская и в спортивных штанах). Теперь же, в эпоху конкуренции, они рады-радешеньки любому клиенту, хоть в драном свитере, хоть в дымину пьяному, лишь бы клиент готов был оставлять деньги за игорными столами.

Захарченко не привык ходить по казино, все же не теми деньгами он располагал, чтоб ходить. А вот играть любил. Страсть к игре он утолял на одноруких бандитах, и страстишка эта имела над ним прямо-таки монархическую власть – то есть абсолютную. Иногда он здорово проигрывался, из-за чего не раз до смерти ругался с женой – сведенья верные.

Шилов изменил внешность, но излишне не напрягаясь. Никаких париков, накладных усов, очков с простыми стеклами – это все атрибуты дешевых фильмов про шпионов. Нет. Главное – он изменил образ и, соответственно, общий стиль. Перемена образа изменяет человека сильнее, нежели перемена внешности. Что касается Шилова, то его привыкли видеть в респектабельной упаковке, одетого по высшему шику, ступающего уверенной походкой. А сейчас он выступал в образе свободного, но при этом преуспевающего художника. Одетого небрежно, но недешево. В походке появилась разболтанность, во взоре – наглость, граничащая с вызовом. Какой-нибудь знакомый Шилова, столкнись они с ним случайно, наверняка мазнет взглядом и не узнает. Да и узнает – невелика беда... хотя и нежелательно.

Пробило девять вечера, и народу в казино уже было немало. Поменяв деньги на фишки, они взяли по бокалу бесплатного пива, немного посидели в баре, походили по залам и остановились у одной из рулеток. За него и присели.

Шилов, чтобы завести клиента сильнее, поделился с ним системой, якобы верно приносящей выигрыш. Любой человек, склонный к азартным играм, верит в миф о том, что может существовать никем еще доселе не высчитанная система. Даже умные люди покупаются на эту чушь, чего уж говорить про остальных. А предложил Шилов из розыгрыша в розыгрыш ставить на одну и туже полудюжину, каждый раз неизменно повышая ставку чуть больше, чем вдвое. Дескать, хоть раз, да повезет, и тогда одним ударом можно отыграться и даже остаться в выигрыше.

А далее все пошло привычным чередом. Иногда выпадали нужные номера, чаще ненужные. Стопка жетонов на столе перед Захарченко иногда пополняясь и даже, случалось, заметно, но в итоге все же неуклонно уменьшалась. Зато азарт все больше и больше разгорался в душе Захарченко. Плюс не стоит забывать про бесплатное и ненормированное пиво, которое Захарченко поглощал со всей старательностью русского человека, дорвавшегося до халявы. Поэтому, когда наступил закономерный момент и его жетоны иссякли, Шилову только дружески предложить взять в долг. И хлопнуть по плечу:

– Не дрейфь. Отыграешься – отдашь!

Разумеется, Захарченко не отыгрался. На том заведения под названием казино и стоят. Тебе, конечно, может пофартить, можешь выиграть и по-крупному. Однако если ты не заберешь выигрыш и тут же не уберешься из коварного заведения, а решишь: «Ну-ка сыграю я еще разок, похоже, сегодня мой день», – то непременно проиграешься в пух и прах. Увы, мало кто может вовремя остановиться – подмечено не нами и не сегодня, а не одну тысячу лет назад...

Шилов знал, что будет дальше.

————

...Николай Ляпунов поднялся на второй этаж. Начальник службы охраны казино каждый час проходил по залам и барам. Служба видеонаблюдения, визуальное наблюдение, металлодетекторы на входе и прочая, прочая, – все работало исправно, все отлажено, что твои швейцарские часы. Поэтому начальник эсбэ мог преспокойно сидеть в своем кабинете и вмешиваться лишь, когда возникнет необходимость. А, как показывала практика, подобная необходимость возникала редко. И уж всяко почасовой личный обход в его обязанности не входил. Но привык он, привык. К тому же скука смертная – безвылазно сидеть в кабинете.

В зале игровых автоматов, возле электронной рулетки Ляпунов обратил внимание на грузного бородатого человека в зеленоватом пиджаке. Бородатый был в том состоянии, когда его вид и поведение начинали раздражать окружающих, плюс не везло ему капитально, и бородач уже раза два пнул в бок автомат, размалеванный, как индеец на тропе войны. Для того и придумано бесплатное пиво, чтобы человек в состоянии опьянения легче расставался с деньгами. Но когда один легко расстающийся мешает другим легко расставаться... В общем, и за этим служба охраны тоже должна следить.

Проходя мимо охранника, стоящего возле дверей, Ляпунов незаметно показал ему на бородача.

– Минут через пять начинай мягонько выводить.

Охранник кивнул. О том, что выдворение должно происходить в высшей степени вежливо, нечего и уточнять. Это повторяется на каждом инструктаже. Избавиться от перепившего гражданина – не самоцель. Важно, чтобы гражданин ушел, не отложив в мыслях, что сюда он больше ни ногой. Потому как сверхзадача казино – это изъятие денег из кошельков клиента таким Макаром, чтобы клиент остался в высшей степени доволен изъятием. И если кто-то из персонала этого не понимает, с такими людьми расстаются быстрее быстрого. Те же охранники даже смотреть на клиентов не имеют право пристально и подозрительно, не говоря уж чтоб исподлобья или презрительно. Хочешь разыгрывать классического мордоворота или же быковать – иди какие-нибудь магазины охраняй...

Ляпунов заглянул в бар, подошел к стойке, чтобы перекинуться парочкой слов с барменом, и... обомлел. За одним из столиков, на котором для уюта горела лампа с бежевым абажуром, сидел... Ну да, Ленька Шилов собственной персоной. Хотя узнать его, пожалуй, было непросто. Может быть, кто-то другой и не узнал бы, но Ляпунов все ж не зря оттрубил четверть века в структуре под аббревиатурой из трех букв. Навыки, вбитые там, остаются с тобой навсегда.

Черт его знает, как там у него со зрительной памятью, но попадаться на глаза Шилову он не хотел. Почему? Хрен его знает, почему! Просто что-то подсказывало, что не стоит этого делать. Хотя вряд ли Шилов его узнает. Видел до этого всего раз и то мельком. Но волчара еще тот. Раз сумел уцелеть до сего дня и взлететь так высоко, значит, пребывает настороже всегда и если не узнает, то что-то обязательно почувствует... и этого ему будет достаточно.

Под звучащую в баре тягучую музыку, потягивая ароматный кофе с каплей коньяка для вкуса, Николай

Ляпунов вспоминал события многолетней давности. Хотя какой там многолетней, только кажется, что было давно, просто слишком много событий пришлось на этот отрезок времени, а на самом деле и десяти лет не стукнуло...

Тогда Николай Ляпунов только-только уволился из рядов, откуда в те годы бежали целыми подразделениями. И устроился в фирму к одному знакомому по своей прямой специальности – отвечать за безопасность. И довелось ему поучаствовать в той самой знаменитой *прихватизации* девяностых. Если кто запамятовал – тогда по всей стране банкротили и по неимоверной дешевке выкупали промышленные предприятия, которые благодаря, ну, сами помните кому, останавливались, людей отправляли в бессрочные и неоплачиваемые отпуска.

Фирма, к деятельности которой примкнул Ляпунов, ставя далеко идущей задачей банкротство, собирала контрольный пакет акций одного питерского ПО. Собирали правдами (хотя, конечно, скупку акций у работяг по стоимости бутылки водки к правдам можно отнести лишь юридически) и неправдами (ну, об это не будем). И вот контрольный пакет был собран. Оставалась ерунда, чисто технический вопрос, провести собрание акционеров и...

И тут в их офис заявились посетители. Четверо, один другого шире, упакованные в черную кожу. Подмышки с левой стороны банально оттопырены. Один без приглашения развалился на стуле, другие встали у стены.

– Мы акционеры. Эти... как их там, сучар... *минорарарные*, – этот, на стуле, явно канал под тупого бандюка, хотя в глазах стояла насмешка. — Если вы, короче, не в курсах, это те, у которых мало акций. Ну-ка, Петюня, покажи.

Названный Петюней расстегнул куртку и достал из внутреннего кармана зеленоватого вида бумажки.

– У вас пачка, наверное, потолще будет, — осклабился этот, на стуле. — Но скромные рядовые акционеры тоже хотят порешать судьбу любимого завода. Короче, ихние интересы надо соблюдать. Или пренебречь решили, а? Ну ладно, давай, брателлы, тереть, как соблюдать будем...

В общем, завертелось дело, много чего было, и стрелки, и до крови едва не дошло, потом с трудом, но договорились. В результате фирме Ляпунова с контрольным пакетом акций пришлось расстаться. И вот когда происходила окончательная передача акций, то среди тех, кто при этом присутствовал, Ляпунов и увидел впервые сего господина. Уже позже он узнал его имя – Леонид Шилов. Он был тогда в цивильном костюме, он незаметно держался на заднем плане, и его можно было принять за какого-нибудь бухгалтера, от безвыходности подавшегося работать на бандитов... но Ляпунов наметанным глазом определил, что вот он-то как раз на этом мероприятии главный и есть. А все эти друзья, канающие под тупоголовых костоломов, лишь массовка, для которой пишут роли другие – те, что за занавесом.

Уже гораздо позже Ляпунов выяснил, кто стоял за всей схемой, которую применили не только к одному тому питерскому предприятию. Некий господин по фамилии Гаркалов, а по имени Роман Борисович. А Шилов был его правой рукой. Впрочем, и остался таковой, теперь об этом известно через официальные источники информации... Теперь оба уважаемые люди, Фонд какой-то возглавляют.

И вот по этому поводу сам собой напрашивается вопрос – а за каким хреном притащился Шилов в город Петербург, да еще и прикидывается разжиревшим барыгой? И почему он заявился в казино в сопровождении какого-то чмыря, мало годящегося ему в приятели, а вот охраны при нем не наблюдается ровным счетом никакой? Даже если представить, что его вчера вдруг погнали из Фонда, он в последнюю очередь мог потащиться глушить грусть-тоску в Питер, да еще таким странным образом и маскируясь под какого-то деятеля шоу-бузнеса.

Он еще сам не знал, для чего ему это нужно. Но собака берет след не потому, что приходит к выводу о целесообразности этого поступка, а потому, что срабатывает инстинкт. А сейчас у Николая Ляпунова инстинкт прямо-таки гудел на холостых оборотах и рвал с поводка. Здоровый инстинкт оперативника. Хороший пес и хороший оперативник суть одно и то же.

Никоим образом Ляпуновым не владели мстительные чувства. Все, что лично он потерял от той истории, – место работы. Нет, дело в другом: прояснить все эти странности и несообразности. Для себя, из любопытства. Что там из этого получится дальше, будет видно. Сперва надо все разнюхать. Итак, надо послать кого-нибудь аккуратненько проследить за одним и за другим товарищем. Толковые и верные ребятки у него в подчинении имеются, слава богу, сам подбирал. Ну и кое-какая техника в заначке припрятана...

...Разумеется, эта хата, в отличие от кабинета Гаркалова и, к слову, от всех прочих кабинетов Фонда, не была оборудована защитой от прослушки. Ни тебе вмонтированных между оконными рамами динамиков защитной системы, что создают преграду из акустических помех на пути лазерного микрофона, который по вибрации стекол расшифровывает разговоры внутри помещения; ни тебе хитрого приборчика, что глушит работу любой электроники в радиусе двадцати метров. Короче говоря, абсолютно нормальная человеческая хата. И эта нормальность несколько нервировала Шилова, привыкшего свободно вести разговоры лишь за надежным электронным щитом. Правда, он обошел квартиру с похожей на телевизионный пульт черной коробкой и «клопов» не выявил, но все же, все же... Говоря на профессиональном сленге – Шилов *ерзал*. А это всегда нехорошо.

Квартирка сия была оформлена на подставное лицо, проживающее в Москве, а де-факто принадлежала Фонду. Вроде бы зачем такой уважаемой и богатой организации зачуханная однокомнатка, да к тому же расположенная в промышленном районе северной столицы, где об экологии и заикаться смешно? Да к тому же еще находящаяся в так называемом «кировском» доме... Понимающие люди при слове «кировка» сходу морщатся, словно лимон надкусили. Потому что таких отвратительных домов в граде на Неве не строили ни до, ни после, а только во время правления товарища Кирова, отчего-то так любимого историками-демократами, будто он чуть ли не за либеральные убеждения радел, а Сталин-де прознал об этом и подло его укокошил. На самом деле, Сергей Миронович был тот еще управленец, которому по-хорошему можно было доверить руководить разве что жилконторой, да и там бы он все развалил и разворовал. И дома-«кировки» – тоже редкостная дрянь. Их строили исключительно вблизи предприятий, все дома с деревянными перекрытиями, в большинстве таких домов ванные комнаты просто непредусмотрены: считалось, что рабочему человеку плескаться в ванных некогда и незачем, для помывки существуют общественные бани, кухни маленькие, ну а от архитектуры «кировок» просто тошнит.

Ну, вообще-то, Фонд владел и питерской недвижимостью класса «евро-люкс», ему принадлежали шикарные апартаменты и с видом на Неву, и с видом на разные достопримечательности, и парочка коттеджей в курортной зоне. Но то все официально, для представительских нужд. А такова уж селяви, что помимо официальных надобностей у Фонда могут возникнуть надобности насквозь неофициальные. Там, где играют на большие деньги, следует быть готовым к разного рода неожиданностям. И если имеешь возможность позволить себе – лучше себе позволить. На всякий случай. К слову, эта квартирка была не единственной питерской «заначкой» Фонда, имелись и еще не одна и не две единицы подобного неприметного жилья.

В квартире никто не жил последние четыре года, и это чувствовалось по всему. Хотя Шилов вчера вызвал бригаду из коммерческой сервисной службы и за пару часов ему навели такой порядок, что даже какой-нибудь прусский капрал и то бы не придрался, однако запустение выглядывало отовсюду. Пустые рассыхающиеся шкафы, оставленные бывшими владельцами, потрескавшийся паркет, над раковиной – отваливающаяся плитка, пустые кухонные полки...

Шилов был вправе собой гордиться. Он выстроил комбинацию, в результате которой клиент по фамилии Карташ будет стопроцентно мертв. Умрет не так, так эдак, не эдак – так иначе. Смерть состоится – по одному из трех разработанных Шиловым сценариев.

Ах, до чего красивая была комбинация! Многоуровневая, как в компьютерной игре, где все три уровня различаются по сложности и друг друга не перекрывают, а потому друг от друга независимы.

Умертвить человека можно по-всякому. Например, долбануть в потемках арматуриной по тыкве, или засадить пику под сердце, или, инсценировав случайную и краткотечную уличную драку, свернуть ему ненароком шейные позвонки. Ну, это все задачки для гопников-наркоманов.

Существуют возможности посложнее: снайперка, автоматная очередь из пролетающей мимо тачки без номеров, заряд «Мухи» по окнам клиента, несколько граммов тротила над его входной дверью. Это похитрее будет, да... но – не эстетично.

А Шилову по нраву были акции изящные, творческие... *элитарные*, что ли. Яд лягушки-кокои, слыхали про такую? То-то. Экзотика, бля. Да что там кокои, большинство клеточных ядов вообще никакой экспертизой не распознаются! Причем экспертизой, проводимой не только на допотопном российском оборудовании, но и на самом что ни на есть европейском... Или вот, например, шикарнейший вариант: направленный карциогенез. Песня! Крошечная капсулка с изотопом под кресло в кабинете, под сиденье в машину, в спальню, куда угодно, лишь бы поближе к *объекту* – и все. Металлоискатели, счетчики радиоактивности и всякие другие приборы, призванные выискивать подобные шалости недругов, хрен ее найдут, а объект через месяц–другой загнется от злокачественной опухоли... По слухам, именно так был *отстранен* от должности самый первый мэр самого красивого северного городка.

Но. Это все решения для клиента, который разгуливает на свободе, пусть и под десятикратно усиленной охраной. А вот как поступить, ежели он сидит в «Крестах», а исполнитель находится снаружи? Самый простой ответ – подписать на мокруху каких-нибудь отморозков, которые преют там же; они разыграют простенькую заводку, слово за слово, махач – и жмур готов. Шилов принял этот вариант в разработку, но – как первый уровень игры, самый простой, и принялся искать решения понадежнее.

Нанимать в одноразовые киллеры кого-то из служащих «Крестов» было архиглупо: неожиданного убийцу стопроцентно повяжут на месте и расколят на мокруху. И пусть служивый не знает имени заказчика, но наверняка поползет слушок, что это высокопоставленный папа мстит за смерть сынка. То же самое касается профессионального ликвидатора: его надо как-то посадить в тюрьму, да еще и поближе к объекту, да и снабдить оружием, да и обеспечить пути отхода из «Крестов»... Более чем сложно и более чем дорого. А Карташ вовсе не тот клиент, ради которого стоит идти на такие траты...

Что остается?

Остаются бомбы, яды и прочие достижения науки и техники, приходящие вместе с посылкой для арестанта. Шилов остановился на ядах. Ничего сложного – никаких там навороченных препаратов, которые проникают в кровь сквозь поры кожи, стоит только прикоснуться к отравленному предмету. Обыкновенное снотворное, которое принимают внутрь. Перорально, ежели по-научному... Ну, не совсем обыкновенное: таким зельем в ихних зоопарках усыпляют отживших свое слонов и носорогов. Десятая доля миллиграмма – и человек отправляется в гости к Самому Главному Прокурору...

Опять же – но. Как доставить такую посылку? Самое главное препятствие – любая передача проходит через множество загребущих рук. Отведают цирики по наливному яблочку, и привет. Гора трупов. Расследование выяснит, для кого именно предназначалась посылочка, и – смотри пассаж о слухах. И даже если посылка дойдет до адресата в целости и сохранности, то тогда вместе с объектом передохнут все сокамерники Карташа (еда из передач идет на общий стол, сие есть закон, и никто его нарушать не будет), а этого Шилов не хотел. И не потому, что было жалко сокамерников-уркаганов: опять начнется расследование, и – смотри все тот же пассаж.

Короче: отравленный *предмет* приговоренный Карташ должен получить в целости и сохранности, в собственные руки, и начать употреблять лично, ни с кем не делясь. Употребит немного, назавтра сдохнет, и ни один тупоголовый судебный патологоанатом не станет заморачиваться углубленной экспертизой, так и напишет резюме: «смерть от обширного инфаркта». Так что это может быть за *предмет*?

И Шилов придумал.

Захарченко пришел на добрых полчаса раньше и, дожидаясь назначенного времени, сперва прогулялся в сторону рынка, потом перекурил на лавочке автобусной остановки – Шилов видел его из окна. То, что он явился с таким запасом, говорило о его крайней заинтересованности во встрече. Ну еще бы – почуял запах денежек! Должник, конечно, должен был сообразить, что от него попросят некую услугу.

Ага. Захарченко взглянул на часы, выбросил окурок и направился к дому.

Через пять минут задребезжал звонок.

Глава 11

«ДОРОГАЯ ПЕРЕДАЧА...»

— Конспиративная явка? – оглядевшись в прихожей, хохотнул Захарченко. Это нервный смешок выдал его волнение.

— Она самая, – не стал спорить Шилов. – Это квартира моей тетушки. Старушка переехала в деревню, хотела сдавать квартиру, да я отговорил. Напугал историями про плохих съемщиков, которые превращают жилплощадь черте во что, а потом пообещал, что стану материально помогать в ее деревенской жизни. Ну и оставила она ключи мне. Ну, вы же, как мужик мужика, должны меня понять. Необходимо иногда отдохнуть от жены в компании веселых девушек.

— Нечасто, вижу, здесь бываете? – заметил Захарченко, проходя в кухню.

«Неученый еще в хитрых делах, – подумал Шилов. – Не знает простой истины: излишнюю наблюдательность следует всегда держать при себе. А то, бывает, боком выходит».

— Нечасто. Дела, дела, не до маленьких шалостей пока. Ну, мы и без лялек неплохо время проведем, не так ли? – Шилов достал из холодильника бутылку «Русского стандарта» и незамысловатый набор закусочной снеди: сыр, лечо, колбасу, два пластиковых контейнера с готовыми салатами. На столе уже лежали купленные им сегодня два набора одноразовой пластиковой посуды.

– За продолжение знакомства, – предложил Шилов, разлив водку по стаканчикам.

– За продолжение.

Это вчера в кафе он вынужденно соблюдал правила приличия. Захарченко пил сейчас по-мужицки, как привык: высоко запрокидывал голову и вливал в себя водку, как в воронку, только кадык ходил ходуном.

– На службе-то как? – задал Шилов разогревочный вопрос.

– А чего ей сделается. Служба идет, зэки сидят, мы сторожим.

– Тяжело?

Константин пожал плечами.

– Обычно. И привычно... Ну... это... давай еще по пятьдесят капель?

– А то.

Налили, выпили, закусили. Водка аккуратненько легла на вчерашнее, и по телам разлилась приятная истома.

– Бр-р-р, – сказал Шилов. – «От сумы и от тюрьмы», и все такое – это понятно, но не дай бог...

– Так а что такого-то, – Захарченко поковырялся вилкой в салате «Греческий», положил в рот кусочек сыра. – Живут же.

– Ну... Не знаю. Уголовники, феня, опускалово... Нормальный человек разве выдержит.

Он потянулся за колбаской и пропустил взгляд, который бросил на него Костя.

– А ты думаешь, в крытку попадают исключительно рецидивисты? Сам ведь сказал: «от тюрьмы и от сумы...» Так что обычные люди тоже сидят и не кукарекуют...

– Ну, а мы лучше выпьем.

– ...А в общем, ты прав, – вдруг жестко сказал Захарченко, когда зажевали следующую рюмашку. – «Кресты» – это в натуре другой мир, бляха-муха. Там не так, там даже язык другой... Но ничего, боремся. Вор не пройдет.

– Хотя, если человек сильный, со стержнем внутри... понимаешь, о чем я?

– Чего ж не понять... – кивнул Костя. – Только вот что я скажу: даже против лома можно найти прием. И обламывают там любые стержни, стоит только намекнуть кому надо.

И под очередной тост он поведал несколько кошмарных историй из серий «Раздавленные крыткой» и «Я – вор в короне», где воровские авторитеты мановением мизинца приказывают шестеркам зачмурить любого не приглянувшегося им бедолагу, старые урки насмерть бьются с бритоголовыми бандитами, отстаивая прежние понятия, а те насаждают новые порядки, и поэтому бунты имеют место примерно раз в неделю...

Ну, не с таким смаком, разумеется, поведал – столичный гость ведь тоже не дурак и лажу почувствует. И все равно прикольно было нести пургу. Захарченко понимал, что этот орел не просто привет передал от Сереги Грушина и по доброте душевной в первый же день накормил-напоил случайного знакомого. Вчера, блин, Захарченко – будем честными –позволил себе быть угощаемым. И совершенно напрасно. Да еще и денег остался должен уйму. А вот это вообще уже никуда не годится. Работая в «Крестах», он на собственном опыте знал, что халявы не бывает, за все надо расплачиваться, а вне службы, на воле, вишь ты, расслабился. И московский орел как пить дать потребует вернуть должок, причем наверняка не деньгами, а услугой. Вот Костя и подпустил в голос трагизма, расписывая ужасы СИЗО, чтобы гость понял: любую услугу, связанную с его службой, выполнить будет ох как затруднительно. Дескать, кровь проливаем, живота не щадим в боях с уркаганами...

— ...поэтому на полу в каждой галере, — это коридоры в «Крестах» так называются — желтой краской полоса нарисована, по этой полосе заключенные на допросы ходят. Шаг влево, шаг вправо, и — сам понимаешь...

— Ужас, — согласился Шилов, и непонятно было, поверил он байкам или нет. — Собственно, так я и полагал... Вот почему у меня к тебе дело есть.

«Ага», — навострил уши Захарченко.

— Пустяк, право слово, ты не думай. В общем, у меня... то есть, у *вас* в «Крестах» сидит мой хороший друг. За дело, конечно, сидит, но все же... Я только недавно узнал. Короче, ты не мог бы ему передачу отнести? Ничего запрещенного, можешь проверить. Так, фрукты там, консервы, носки теплые, зубная щетка, сигареты...

— Скоропортящееся нельзя, — машинально сказал Захарченко.

Он был несколько разочарован. Дачка — и только-то? А он уже губу раскатал...

— Ну, давай вынем все что нельзя.

— А чего ж через окошко не передашь, официально?

— Да видишь ли... Сам же говорил, какой беспредел у вас там. Растащат ведь по дороге! Не опера, так урки.

– Это верно, – серьезно кивнул Захарченко. – Все ценное, что опера с контролерами не стырили, изымается и в общак идет. Таков воровской закон, против него не попрешь.

– Во! А я о чем! Почему к тебе и обратился. Грушин сказал, что ты смог бы...

И Шилов просительно, стараясь не переиграть, заглянул Константину в глаза.

– Блин, сложно это... – протянул Захарченко, лихорадочно размышляя.

Пес его знает, а вдруг столичный шланг и в самом деле вертится вокруг для того только, чтобы передачу организовать?

– Братан, выручай, а? И про деньги, которые мне должен, забудем, ерунда...

Ну вот и бабки всплыли, а он что говорил... Кто этих москвичей разберет, у них денег куры не клюют, мог и в казино просрать кучу мани, лишь бы товарищу пособить.

– Не в том дело, – вздохнул Захарченко. – Не, что долг прощаешь, это, конечно, спасибо, но... Понимаешь, так просто пронести не удастся. Сразу врубятся и завернут. Так что... максать придется.

– Ну, знаешь!.. – очень натурально возмутился Шилов.

– Эй, не я ж такую систему придумал! – примирительно заметил Константин. – А вдруг я там пулемет несу, чтобы твой кореш самостоятельно на волю вышел?

– Так ведь там нет пулемета!

– Ага, и только поэтому они должны меня забесплатно пропускать?!

– Так, все! Стоп. Тихо, – хлопнул ладонью по столу Шилов.

Где-то он допустил маленький просчет. Костя оказался бо́льшим пройдохой, нежели он думал. И ситуация развивалась не так – совсем не так, – как продумывал ее Шилов. Вместо того, чтобы ползать в ногах, с радостью соглашаясь на любую услугу, чертов цирик набивает цену!

Но прессовать его долгом, грозить счетчиком и бандитами было сейчас в высшей степени неразумно: Захарченко скажет, что денег прямо сейчас нет, тем более, что они не договаривались о сроках, да еще и напомнит слова самого Шилова: «Отыграешься – отдашь». Стало быть, сначала надо отыграться...

Так что ссориться было не в интересах московского гостя. Не дай бог, марамой заподозрит и насторожится.

– Сколько? – тихо спросил Шилов.

– Ну... Это, брателло, зависит от того, что ты припас.

Шилов сходил в комнату, вернулся с большим полиэтиленовым пакетом «Максидом», водрузил на стол среди закусок, принялся разбирать. На столе постепенно росла куча: яблоки, апельсины, два блока «Лаки-страйк», шерстяные носки, перчатки, шапочка-«пидорка», бритвенный станок «Max 3», сахар, зубная щетка с зубной пастой, пакетик с чищенным фундуком, пара лимонов и бутыль «Кристалла» ноль-семь.

– Ты офуел? – спросил Костя.

– Что опять не так? – нахмурился гость.

Захарченко обличающе поднял бутылку водки:

– «Кресты», по-твоему, что, кабак? Ты бы еще девочку для него позвал!

– Отставь в сторону, – равнодушно пожал плечами Шилов, но Костя заколебался.

Ага, сучара, подумал Шилов, жалко отставлять-то. Куда проще вылакать самому, со своими коллегами-мудозвонами? Давай-давай, лакай...

– Ладно, попробуем пронести, – сказал Захарченко и поставил бутылку на стол. – А вот бритву точно нельзя.

– Бритву-то почему?

– Колюще-режущее.

– Да им даже бумагу не разрезать!

Захарченко задумчиво посмотрел на Шилова и сказал:

– Знаешь, старик, находятся умельцы, которые такой штучкой тебе глотку от уха до уха разделают на лепестки, ты и квакнуть не успеешь.

– Слушай, а как же Мадуеву ствол пронесли? – нахмурился Шилов.

– Это ты у той следачки спроси...

Вот теперь Костя чувствовал себя в своей тарелке. Теперь уже не ему, а он оказывает услугу. И волен карать и миловать. Захочет – так вообще пошлет москвича... Нет, послать нельзя, тогда он денег потребует...

Захарченко заглянул в носки, подбросил на ладони выбранный наугад запечатанный блок сигарет, открыл тюбик с пастой, понюхал.

– Чистый кокаин, – мрачно пошутил Шилов. – Можешь попробовать.

Он ничем не рисковал: как раз на тот случай, если какому-нибудь бдительному вертухаю захочется таки попробовать на язык и проверить, так сказать, *органо-*

лептически, соответствие надписи на тюбике содержимому, сверху было немного чистой зубной пасты.

Паста же, пропитанная ядом, ждала часа своего попадания в рот сантиметром ниже...

Захарченко пасту закрыл, согнул тюбик немного – нет ли чего внутри. И сказал нерешительно:

– Ну, в общем, остальное тоже не все можно, но я попробую договориться. Значит, пост на входе, пост у корпуса, корпусному придется отстегнуть, цирикам на отделении и у галеры, ну тем немного, они непривередливые...

Он налил себе водки из уже открытой бутылки, махнул в одиночку, постоял немного, прислушиваясь к ощущениям. Поразмыслил малость и, больше никого не придумав, Костя назвал сумму. И тут же пожалел, что не назвал в два раза больше.

Шилов уважительно крякнул. Сумма для такого дела, как пронос посылки мимо «таможни», была запредельной. Но для отмщения убийце Гаркалова-младшего более чем скромной, причем он готов был дать голову на отсечение, что Захарченко бо́льшую часть положит себе в карман. Ладно, пусть пока живет, сученок, лишь бы дело сделал.

– Ладно, – буркнул Шилов, – договорились.

– Ну и хоккей, – подмигнул ему Костя. – Да ты не переживай, доставим лично в руки. Через пару дней созвонимся...

– А что так долго-то?

– А почву прощупать, людей подготовить? В общем, я позвоню. А ты подгребешь к «Крестам». Музей где, знаешь? Бабки не забудь. Ну, и дачку захвати, тоже, ха-ха...

Когда Захарченко отчалил, зело довольный состоявшейся беседой, Шилов побродил по кухне в состоянии глубочайшей задумчивости, потом достал мобильник, настучал номер и переговорил с абонентом.

В цене сошлись быстро. Если не сработает схема с уркаганом Карновского, если заряженный тюбик с пастой Карташ по каким-то причинам не получит, то тогда наступит время третьего, заключительного уровня компьютерной игрышки «Карташ маст дай», и в дело вступит снайперский автомат СВУ-АС. Вот только придется дожидаться, когда означенного Карташа вывезут наконец-таки из «Крестов». А уж об этом событии Шилов узнает загодя.

Глава 12

СМОТРИТЕ, КТО ПРИШЕЛ!

На следующий день к Карташу заявился следователь, вот радость-то. Терпеливо ждал его, что характерно, в той же самой комнатенке, где·Алексей свиданькался с адвокатом. Как водится, выложил перед Алексеем пачку сигарет, достал из «дипломата» папку, дешевую шариковую ручку и весьма ласково представился:

– Виктор Витальевич Малгашин, следователь по особо важным делам. Курите, пожалуйста.

Карташ прикурил от протянутой зажигалки и с наслаждением затянулся. Курил следак, если, конечно, эта пачка не была специально предназначена для установления контакта с подследственным элементом, сигареты не столько хорошие, сколько дорогие – «Собрание», да и не какого-нибудь там местного рассыпа, а настоящие, аглицкие, что явствовало из надписей на серебристой пачке. Хотя, признаться, «Собрание» в *этой* ситуации было не к месту. В *этом* месте и в *это* время более подходили бы «Прима» или, скажем, «Астра». Чтоб одной сигаретки хватило надолго. Ну да не в положении Карташа было привередничать. Малгашин подождал, пока Алексей докурил сигарету практически до фильтра, и сказал:

– Итак, господин Карташ, приступим к нашему Марлезонскому балету.

Сфокусировал взгляд на кончике носа Алексея – вроде бы смотрит прямо в лицо, а взглядом не встретишься, и это, по следовательской идее, должно было выводить допрашиваемого из себя. Но Карташ почему-то – ну что ты будешь делать! – оставался спокойным, как танк на постаменте.

Следак еще немного поиграл в гляделки и тут же взял быка за рога.

– Вы знаете, что меня больше всего поражает в вашей истории?

Он выдержал театральную паузу.

– То, что вы не сделали чистосердечного признания. Ни сразу после задержания, ни позже. А ведь вам предлагали, я знаю, оформить явку с повинной. Да и сейчас вы не донимаете меня просьбами о чистосердечном и о раскаянии – меня это тоже поражает. Ей-богу. Честное слово. На что вы надеетесь? В вашем положении вроде бы не остается ничего другого как активно сотрудничать со следствием. Или я чего-то не понимаю! Я читал ваше дело и удивлялся. Ведь вы должны были, очухавшись и увидев картину содеянного, схватиться за разлохмаченную голову и воскликнуть: «Как я мог! Что я наделал! Нет мне прощения! Я достоин самого ужасного наказания!» И тут же бухнуться в ноги подбежавшим органам правопорядка...

– Тебе бы, начальник, книжки писать, – перебил Карташ крылатой фразой.

– Может, и засяду когда-нибудь, – следак откинулся на спинку стула. – Обещаю одну главу уделить и вашему делу. Народу должно понравиться. Любовь, измена, ревность, трагический финал... Нет, ну правда, на что вы рассчитываете, упрямо твердя о своей невиновности? Ведь вас же, простите, взяли на горячем и с поличным.

– А на что может надеяться человек, знающий, что этих двоих он не убивал? Или, говоря понятнее, зачем мне брать на себя чужое?

Малгашин мигом напрягся.

– Очаровательная оговорочка... Или, говоря понятнее, – недоговорочка, – проникновенно передразнил он. – Любой человек на вашем месте выразился бы: «Я не убивал этих двоих», – или: «Я никогда никого не убивал». Устойчивый оборот, знаете ли, штампы влияют на нас гораздо сильнее, нежели мы себе представляем... Почувствовали разницу? Вы же сакцентировались конкретно на «этих двоих»... Так если не их, то кого же вы убили?

Карташ внимательно посмотрел следователю в глаза: придуривается, что ли? Но по водянисто-серым зенкам Малгашина ни черта было не понять.

– Слушайте, может, хватит к словам придираться? – поморщился Алексей. И подумал: «А человек ты у нас непростой. Или знаешь слишком много обо мне, несчастном?..»

– Придираюсь? – деланно удивился следак. – Полноте! Просто пытаюсь разобраться, дорогой мой гражданин Карташ, как положено. Итак, значит, заявление делать не желаете? Сознаваться, то есть? Не желаете. Хорошо. Тогда давайте для начала восстановим картину преступления. Чтобы, так сказать, не осталось недомолвок и разночтений... Мы поступим так. Я буду вам рассказывать, а вы меня поправлять, если что напутаю. Обещаю: все материалы, протоколы, показания и акты я вам предоставлю – дабы вы убедились, что я не вру.

Малгашин поднялся, обошел стул, остановился позади.

– С покойным Гаркаловым Дмитрием Романовичем вы действительно прежде знакомы не были. Тут я вам верю. Свидетельские показания говорят о том же.

– Свидетельские? – переспросил Карташ.

– Да, милейший, да. Никто из родственников и знакомых покойного Гаркалова не видел вас прежде ни вместе с оным, ни отдельно от него. Ну и потом, на презентации, вы вели себя как человек, доселе покойного не знавший. То есть я к чему это говорю: к тому, что умысел в ваших намерениях не просматривается, с чем вас искренне поздравляю. Умышленным вы свою участь не отягчаете, на сто пятую, часть вторую, пункт «а» не тянете. Ну, к этому аспекту дела мы потом еще особо вернемся...

Следак наклонился, положил локти на спинку стула, сцепил кисти в замок. Слегка раскачивая стул, продолжил:

– Итак, на презентации, куда вы прибыли вместе с гражданкой Топтуновой Марией Александровной, вы познакомились с Гаркаловым Дмитрием Романовичем. Знакомство переросло в ссору. Причина ссоры банальна до икоты. Женщина. Шерше ля фам. Ссора закончилась дракой, что неудивительно, что бывает сплошь и рядом в подобных историях. Этим страстям, как говорится, все сословия покорны. Вас с Гаркаловым вовремя разняли, после чего попытались примирить... и вроде бы примирили. Вполне в русских традициях – сначала морду друг другу чистить, потом пить на брудершафт. Брудершафт вас и добил. После очередного бокала уж не знаю чего, вы пришли в состояние, как говорится, плохо совместимое со стоянием на ногах. Отключились, одним словом.

Гаркалов Дмитрий Романович, заявив присутствующим, что это во всем он виноват и жаждет вину загладить, вызвался доставить вас и вашу спутницу на своей машине до места вашего временного пребывания в городе, то есть к гостинице «Арарат».

Следователь принялся мерить неторопливыми шагами пятачок между столом и стеной. Два шага туда, два шага обратно – особо не разгуляешься.

– В начале третьего ночи к гостинице «Арарат» подъехал автомобиль, из которого вышли Гаркалов, Топтунова и некто Карташ. Пардон, служба обязывает меня быть точным в деталях. Вышли только двое, а третий, то есть Карташ, ни выйти, ни войти не мог по причине неспособности внятно шевелить ногами. Вас вытащили и понесли. До гостиничных дверей вас нес Гаркалов, Топтунова его сопровождала, а в гостинице дотранспортировать бухое тело до номера помог служащий гостиницы. Разумеется, работники отеля никаких предвестий будущей трагедии в происходящем не разглядели, картинка из жизни предстала перед ними, увы, преобыденнейшая. Один из них так и выразился на опросе с печалью в голосе: «У нас не "Астория" с ихним импортом. У нас контингент попроще, хотя и тоже импортный бывают. Но и те, и наши вроде приезжают – денег полно, а пьют, как лошади». Ну что-то я отвлекся от главной нити повествования. А тем временем нить эта приводит нас в номер двести восемьдесят четыре, расположенный на втором этаже. Что происходило в номере, доподлинно неизвестно, но события легко реконструируются при помощи следов, вещдоков и элементарной дедукции.

Малгашин закурил, но за стол не сел, оставался на ногах, ходил – два шага туда, два шага сюда, иногда подходил к столу, чтобы стряхнуть пепел.

– Итак, Гаркалов, как отмечают все, могу показать документы, был падок до женщин, и, к вашему невезению, ему нравились женщины именно того типа, к которому принадлежала ваша подруга. Никто не идеализирует господина Гаркалова Дмитрия Романовича. Ангела во плоти и невинную жертву никто из него лепить, смею вас уверить, не намерен. Конечно же, вызываясь отвозить вас домой, Гаркалов рассчитывал воспользоваться вашей временной недееспособностью для достижения своих недостойных целей. И в результате достиг их. С моральной стороны его действия подлежат безусловному осуждению и порицанию. Но штука в том, что *преступный* умысел в его действиях отсутствует напрочь. Признаков совершения сексуального насилия нами не обнаружено. Определенно все происходило по взаимному согласию. Я знаю, что вам неприятно обо всем этом слышать, но кого вам винить кроме себя? Вы ж сами все заварили! Моя воля, я б с вами и этих разговоров не вел и сюда бы лишний раз не наведывался.

Следователь загасил окурок.

– Так вот. Происходило это вышеупомянутое «все» до тех пор, пока неожиданно не пришел в себя господин... пардон, *гражданин* Карташ. Никто из... прелюбодеев не предполагал, что гражданин Карташ придет в себя столь рано, это стало для них неожиданностью и застало врасплох. Разумеется, и для гражданина Карташа стало неожиданностью, причем неприятной, все то, что он увидел в номере. Контакты заискрили, предохранители полетели, наступило то самое пресловутое состояние аффекта, момент наивысшего безразличия к собственной участи, глаза застила ярость, многократно усиленная все еще бушевавшим в крови алкоголем. В приступе этой ярости гражданин Карташ выхватил из коричневой дорожной сумки оружие, незаконно хранящийся у него пистолет «Вектор», и произвел из него пять выстрелов. Промахнулся он всего один лишь раз, четыре выстрела пришлись в цель. Собственно, удивляться вашей меткости не приходится – все же офицер, с оружием знакомы не только по боевикам и комиксам... Ну а потом наступил откат. Приступ бешенства, сильнейшее нервное потрясение закономерно сменились депрессией, состоянием полной опустошенности. Так всегда бывает, уж поверьте мне. Вы в моей практике не первый такой и, отчего-то мне кажется, не последний.

Малгашин, видимо, набродился. Сел на стул, закинул ногу на ногу.

– Гражданин Карташ, отбросив оружие, без сил опустился на пол, закрыл глаза, чтобы не видеть этого кошмара, и вновь отключился – судя по всему, под воздействием все того же алкоголя. Тем временем за стенами номера происходило следующее. Коридорная услышала звуки, показавшиеся ей странными и похожими на выстрелы. Поскольку в армии она не служила и пулевой стрельбой в свободное от гостиницы время не занимается, то однозначно опознать звуки не смогла. Она все же надеялась, что отыщется другое объяснение – допустим, петарды в номере пущают или шампанским хлопают. Девушка на цыпочках приблизилась к двери, прислушалась, но ничего не услышала. Тишина. Это насторожило ее еще больше. Она хотела постучать и спросить, в чем дело, но потом передумала. Она элементарно испугалась, это понятно. Причем испугалась настолько, что оставаться на этаже побоялась: а вдруг дверь откроется и оттуда выскочит сумасшедший с большим пистолетом. Она даже не стала вызывать лифт, потому что его придется ждать какое-то время, а побежала вниз по лестнице. Минуты через три, самое большее – четыре, на этаж поднялись портье и охранник. Они-то и решились постучать в номер. Никто не открывал, никаких звуков из номера, где, как им было известно, находится трое человек, не доносилось. Охранник наклонился к замочной скважине, принюхался и заявил, что якобы чувствует запах пороховой гари. Тут уж хошь не хошь, а что-то надо было предпринимать. Инициативу никто из рядовых служащих брать на себя не решился, они позвонили директору гостиницы, разбудили его посреди ночи и спросили, как быть. Директор сказал, чтоб звонили в районный отдел милиции, каковой, к слову, находится неподалеку от гостиницы, на улице Чайковского, поэтому между звонком и прибытием наряда прошло всего пятнадцать минут... И вот, как говорится, вы здесь.

Разминая шею, следователь повел головой в одну сторону, потом в другую.

– Вот смотрите, Карташ, я довел свой рассказа до конца, а вы ни разу меня не перебили. Из этого я делаю выводы, что нарисованная мною картина преступления верна от и до?

– Просто столь хорошо скроенный рассказ жаль было перебивать, – мрачно сказал Карташ.

– Кройка и шитье? – Малгашин с улыбкой наклонил голову набок. – Вы намекаете, что я вам что-то шью? Да вот, можете ознакомиться со всеми материалами...

– Нет, на вас не намекаю, – без всякой иронии перебил Карташ. – Полагаю, все сшито за вас и до вас. Нет, но, черт возьми, как ловко сплетено! Ни одной прорехи в сети. Никаких дырок и швов, все стыкуется, как лего. Хоть сейчас дело в суд. И на фига что-то там расследовать?

– Ну-ну, это вы зря. Мы расследуем, очень даже расследуем, вскрываем новые факты... Хотите, ознакомлю с некоторыми? Извольте. Только боюсь вас не обрадовать. Экспертиза обнаружила на пистолете, из которого был убит Гаркалов, отпечатки пальцев, и папиллярные узоры полностью совпадают с узорами на пальчиках, откатанных у некоего гражданина Карташа Алексея Аркадьевича. Вам мало? Тогда извольте еще. Вот заключение еще одной экспертизы. На внутренней боковой поверхности спортивной сумки, найденной в номере, обнаружены следы оружейной смазки. Стоит ли говорить, что частицы той же смазки обнаружены и на пистолете? Дорогой вы мой, в наидемократичнейшей Америке к электрическому стулу приговаривали и с меньшим набором улик. Выражаясь словами из известного романа: «И после этого вы говорите, что вы не эмигрант?»

– Мне могли вложить ствол в ладонь и прижать пальцы. Вот и отпечатки, – сказал Карташ.

– И кто этим занимался, вы знаете? Можете назвать имена и фамилии? Или вы хотите обвинить в подтасовке фактов милицию?

– Обвинять не по моей части, я себя защищаю... Раз больше некому. И поэтому, – Карташ подался вперед. – Во-первых, я хочу подать отвод адвокату. Во-вторых... почему вы не провели более подробный анализ крови на наличие ядов и прочей наркоты?

Малгашин, слушавший очень внимательно и снисходительно кивающий на каждое слово Алексея, вздохнул.

– Насчет адвоката разберемся. Насчет материалов следствия тоже. Насчет подробного анализа... А основания? Ваши фантазии? Дескать, вас опоили химией? Мало. Вы еще генетическую экспертизу потребуйте. Каждос второе преступление совершается в состоянии алкогольного опьянения, и если каждый подозреваемый начнет требовать дорогостоящих исследований, никаких денег у государства не хватит. Должны иметься весомые основания. В вашем случае таковых не обнаружено. Пили? Пили.

– Я выпил совсем немного, – твердо сказал Карташ.

– А вот свидетели утверждают обратное, и это, опять же, запротоколировано... И, знаете, понятие «немного» для каждого человека свое...

– Какие свидетели? Те, что были на приеме? Они судили по симптомам. А симптомы могут быть вызваны разными препаратами. Может быть, и сейчас еще не поздно провести экспертизу. Следы распада некоторых веществ сохраняются долго. Я настаиваю на занесении своего требования в протокол. Я имею право на объективное расследование.

– Занести в протокол – эт-то пожалуйста. Эт-то можно. И добивайтесь своего через адвоката, нового или старого, без разницы, – пожал плечами Малгашин. – Как говорится уже в другом романе, благотворительность не по моему департаменту.

– Хорошо, – выговорил Карташ. Опять накатила усталость. – Давайте на минуту представим, что я невиновен, что я *никого* не убивал. Вы можете это допустить – хотя бы в виде гипотезы?

– Трудновато, признаться... Ну ладно, пускай. Я слушаю.

– И на том спасибо, – невесело усмехнулся Карташ. – Если я не убивал, тогда, получается, меня подставили.

Следак хмыкнул, но от комментариев воздержался.

– Сразу выскакивает вопрос: кому это могло понадобиться? – Алексей не обратил внимания на следовательское хмыканье. – Например, тому, кто хотел избавиться от определенного человека, отвести подозрения от себя и повесить на меня всех собак. И тут выпадает удобный случай: нечаянное знакомство, интерес этого... Гаркалова к Маше, наша ссора. И кто-то решает случаем воспользоваться. От кого хотели избавиться? Машу убивать незачем. Значит, остается второй пострадавший. Не знаю, что из себя представлял Гаркалов-младший, но Гаркалов-старший – фигура заметная. И врагов у него должно быть немало. Может быть, эти враги убийством сына сводили с Гаркаловым-старшим счеты, или хотели воздействовать на него, чтобы чего-то добиться для себя... Разве не могло такого быть? А разве сам Гаркалов-младший не мог быть замешан в чем-то, за что убивают?

– Допустим, я вам поверил. На секунду представим, – сказал следователь. – И что вы предлагаете следствию? И лично мне? Устанавливать врагов Гаркаловых, старшего и младшего? Устанавливать, кому они могли перейти дорогу? Милый мой, я же не сам по себе, не частный детектив с зубочисткой в зубах и плоской фляжкой в кармане, я – часть *системы,* и с этим ничего не поделаешь. Мне даже договорить не дадут, начни я бубнить начальству про то, что мы имеем дело не с доказанной бытовухой на почве ревности, а со стопроцентной заказухой и, к тому же, с типичным висяком, надо-де невиновного Карташа выпускать с извинениями и еще на одну палку ухудшать наши показатели. Да и Гаркалову-старшему, кстати, придется доложить, что мы не раскрыли убийство его сына, а откладываем торжество справедливости на неопределенно долгий срок. Короче, дадут мне по фуражке... если не по погонам. И назначат нового следователя, который, в отличие от меня, старого добряка, даже выслушивать ваши выдумки не станет.

– Значит, я влип намертво, – произнес Карташ без намека на вопросительную интонацию.

Они замолчали, обоим требовалась передышка. Малгашин достал из портфеля две пластиковые поллитровки с минералкой, одну взял себе, другую протянул Карташу. Алексей поблагодарил, отвинтил пробку, хлебнул.

– Вы мне, конечно, не поверите, – нарушил молчание Карташ, – но Маша не могла... вот так вот легко... сойтись с Гаркаловым. Просто так... ни с того, ни с сего... Не могла.

– Дорогой вы мой, могла, ой как могла, какой бы она замечательной не была, – похоже, следователь сейчас говорил совершенно искренне, от себя самого, а не с позиций должности. – Я бы вам мог такого порассказать, такие случаи привести... Но если вы полагаете, что она не могла, тогда, выходит, и ее опоили химией? Не чересчур ли, а? А зачем, скажите, она вообще поехала вместе с Гаркаловым?

– Не знаю, – честно признался Карташ. – Не знаю. Ей, безусловно, нужна была чья-то помощь. Возможно, решила, что он искренне хочет пособить...

– Она так плохо разбиралась в людях вообще или только в смазливых мужчинах?

– Магия имени могла сработать. Попала под обаяние... Черт его знает!

– Вот именно что – черт...

– Вы опрашивали *всех* служащих гостиницы? – вдруг спросил Карташ.

– На какой предмет? – удивился следак.

– Я знаю, что я не убивал. Знаю, что убил другой. Значит, убийца вошел в гостиницу и вышел из нее. Не видел ли кто-нибудь подозрительных людей на этаже? Не входил ли кто-нибудь через служебный вход? Как он покинул номер? В то время, когда дежурная по коридору отлучалась за портье и охранником? Или перебрался через ограду на балкон соседнего номера? Кстати, это возможно и совсем нетрудно...

– Эхе-хе, – покачал головой следователь и устало потер переносицу. – А вы, однако... Другой на вашем месте раскис бы давно... Странный вы человек, Карташ. И *странностей* за вами значится немало, к слову говоря. На наш запрос, отправленный по месту вашей службы, сегодня утром получен ответ, в котором пишут, что вас, оказывается, выперли из рядов внутренних войск... или как это у вас называется – отправили в отставку? Уволили в запас? В общем, вас *ушли*. О причинах увольнения не говорится, но как вы полагаете, добавит вам это плюсов в глазах неизбежного суда?

— Вряд ли, — признал Карташ. И подумал: «Ай да Кацуба, ай да сволочь...»

— Вот то-то. Смотрю я на вас и вижу, что вы никак не проникнетесь серьезностью вашего положения. Обычно так ведут себя те, кто верит, что их отсюда непременно вытащат.

Карташ опять вспомнил Кацубу и подумал с тоской: «Хорошо бы...» Но образ Кацубы был тусклым и расплывчатым. И не давал повода думать, будто Глаголевская фирма почешется, чтобы вытащить из крытки свою внештатную шестерку. Если не она, конечно, эта фирма, шестерку сюда и определила.

— Я верю, что я не делал того, в чем меня пытаются обвинить, — повторил он. — Потому что я этого не делал.

— Слушайте, — поморщился Малгашин, — вот только не надо этих мизансцен. Я ведь не Жеглов, а вы не Груздев. Не убивал он, видишь ли...

Потом пристально взглянул на Карташа, на этот раз глаза в глаза, без всякой игры в «неуловимый взгляд». И какое-то иное выражение приобрело его лицо. Да и заговорил он *иным* голосом:

— А теперь, родной мой, слушайте сюда со все возрастающим вниманием. Ваше преступление, в сущности, детская проказа, невинные шалости большого ребенка — по сравнению с тем, что может быть дальше. Сейчас я вас огорчу до невозможности.

Малгашин достал из лежащей перед ним папки стандартный лист бумаги с двумя абзацами отпечатанного текста.

– Не знаю уж, где вы раздобыли орудие вашего преступления, то бишь пистолетик. Но ствол у вас оченно непростой. С историей пистолетик, знаете ли. С кровавой. Хотите ознакомиться?

Он передал бумагу Алексею. Тот прочел – и глазам не поверил. Первой мыслью была: «Фальшивка!» Потому что, согласно данным баллистической экспертизы, на стволе висело тринадцать трупов, обнаруженных за последние полгода. *Тринадцать*. Фамилии упокоенных из этого «Вектора» людей ничего Алексею не говорили, но общее количество их впечатляло. И забивало последние гвозди в гроб Карташевой судьбы.

Нет. Стоп...

– Стоп, – вдруг сказал Алексей. – Погодите-ка. Слушайте, вы что, не понимаете? Меня же в то время, когда из этого ствола людей мочили, вообще в Питере не было!

– Да? – наклонился вперед Малгашин. – А где ты был, позволь узнать? Молчишь? Ну-ну... Ничего, разберемся. Это тебе не Отелло с Дездемоной, не убийство в состоянии аффекта, к чему суды относятся довольно мягко. Это, видишь ли, тянет на пожизненное. Можешь кричать, что ствол подбросили, что на тебя хотят списать висяки, но... Но ты понимаешь, что выпутаться тебе теперь будет в тысячу раз сложнее.

Следователь подвинул лист к себе и снова перешел на «вы»:

– Дайте-ка бумажечку обратно. Теперь я вас обрадую. Как в анекдотах. Сперва плохая новость, потом хорошая. Плохая уже была. А хорошая... Скажите, вас не удивляет, что после подобных откровений мы по-прежнему беседуем здесь? Хотя вами давно уже должны были заниматься «большие братья» – такие дела аккурат в их сфере интересов... Так вот, хорошая новость состоит в том, что бумажечка эта пока не имеет силы документа. А что это у вас столь удивленно округлились глаза? Не верите, что такое возможно? Ваазможно. Не буду вдаваться в объяснения, незачем пока вам так глубоко влезать в нашу кухню. В общем, в вашем деле может всплыть один ствол, а может и другой. И все зависит от вас.

– Тот и другой тоже с моими отпечатками? – быстро спросил Карташ.

– Отпечатки ваши *уже* есть. И это неизменно. С этим смиритесь. Теперь вы понимаете, для чего я пел вам сию длинную песню – пересказывал ваше преступление? Это – сценарий номер один. Мы можем придерживаться только его. А можем перейти к сценарию номер два...

Алексей подумал немного и размеренно произнес:

– А я-то было принял вас за обыкновенного следователя, озабоченного лишь тем, как бы поскорее закрыть дело.

– Лучше принимайте меня за человека, которому небезразлична ваша судьба, – быстро ответил Малгашин.

– И что вам от меня нужно? – Карташ закурил очередную следовательскую сигарету.

– Сотрудничество.

– Какого рода?

– А вот об этом в следующий раз. Даю вам время проникнуться, осознать и тэ дэ. В следующий раз сразу начнем разговор по существу. Договорились?

– Насчет отвода адвоката и материалов следствия не забудьте... Кстати, а вам отвод я имею право дать?

– А смысл? – обезоруживающе улыбнулся Малгашин.

...– Ну и дурак ты, – сказал Эдик, когда Карташ пересказал ему допрос. – Законченный. Почему не подписал протокол? Ах, не было никакого протокола? Ну так вот этот Малгашин напишет в постановлении, что ты просто-напросто отказался подписывать, и это тебе штрафных очков добавит. Запомни: каждое слово должно быть запротоколировано и подписано! – Он внезапно посмурнел. – Малгашин, Малгашин... Что-то я такого следака не припоминаю...

– Да и на допрос не похоже, а? – поддакнул Дюйм. – Нет протокола, нет тебе «с моих слов записано верно и мною прочитано». Скорее – так просто, знакомство, прощупывание почвы, разведка боем.

– На федерала тоже тянет: не тот стиль, не те подколки, не та хватка... Парень, ты куда влез?

Карташ в искреннем недоумении развел руками – хотел бы он сам знать, во что влез! – и Эдик посмотрел на Дюйма весьма выразительно:

– Ну? Что скажешь, голова?

– А что такого и какая, собственно, разница? Мы же не мотивы ищем и не заказчика, помнишь? А все лишь зацепочку, фактик...

– Минуточку! – насторожился Карташ. – Что это вы еще удумали?

Квадрат на радостях шарахнул Алексея по плечу:

– Братан! Мы тут пошептались и решили тебе помочь. Мы найдем того, кто тебя подставил. А ты нам оплатишь работу!

Глава 13

ЧЕТЫРЕ ТОРЧКА
И ТРИ НИРО ВУЛЬФА

Чуть раньше, пока Алексей Карташ беседовал со следаком, Бубырь в темпе варганил чифирек в алюминиевой кружке. А как закипело, поставил остывать на пол возле своей шконки, сам завалился на нее, закурил «беломорину».

– К киче готовишься, ба-асота? – растяжно проговорил Карась. Он сидел на шконке, привалившись к стене и полуприкрыв глаза. – Чифирем зубы поганишь, горлодер смолишь, ба-асота. Сдохнешь там, я тебе говорю.

Никто из них на киче еще не чалился, все были первоходками. Самому старшему из них, Карасю, месяц назад стукнул всего лишь двадцатник. День рождения он отмечал в хате, и тогда они тоже вдели нехило – как и сегодня.

И все они корчили из себя крутых. Каждый на свой манер. Кто чего где нахватался, то и вываливал. А вообще-то, камеру держал Борзой. И хотя Карась был раза в два крупнее Борзого, но именно Борзой почалился, хоть и недолго, в колонии для несовершеннолетних, и сей факт горой возвышал его над остальными.

Сегодня они устроили себе отрыв по полной. Водяра с колесами вставляли не хуже, чем иная дурь. Четвертый обитатель камеры, Чиркаш, уже пребывал в счастливом отрубе. Остальные пока держались на плаву.

Борзой лежал на шконке с закрытыми глазами, закинув руки за голову. Сегодня он все больше молчал. Утром его возили на суд, вернулся он около шести, злой, угрюмый, взведенный. Чего там произошло, расспрашивать боялись. Но, судя по всему, дело его не разваливалось, как Борзой ожидал, а вовсе даже наоборот. Может быть, как раз сегодня Борзой со всей очевидностью понял, что на волю ему выскочить не удастся.

Вдруг он вскинулся со шконки и гавкнул:

— Карась, открывай.

— Дык последняя ж. А как же на завтра... — начал было Карась.

— Открывай, говорю, — перебил Борзой.

Спорить с ним не решились. И пацаны налили на одурманенные колесами и «беленькой» мозги еще по стакану.

— Значит, Бубырь, к киче готовишься? Мечтаешь там сразу выскочить в князья? — Борзой немигающе уставился на Бубыря. В его глазах мерцал пугающий ледок, прикрывавший некие жуткие глубины. — А кто ты есть? Сявка мелкая, баклан, прыщ гнойный.

— Это точно, — поддакнул Карась.

Борзой глянул на него, и Карась притих.

— Сечешь, Бубырь, что отличает настоящего волка от шавки? Волк не стремается за свою жизнь. Не цепляется за нее хилыми лапками. Если ты не умеешь ставить на кон все, то цена тебе — плевок. По мне — на хрен такая житуха!

Если б башня Бубыря не была такой мутной (а после того, как он водку с таблетками полирнул чифирком, извилина за извилину у него заскакивала бодро и качественно), так вот тогда он, конечно, не купился бы на такую откровенную подначку... Но, вишь ты, купился.

– Я ниче не стремаюсь, – вякнул он. – Мне все это фиолетово. Поэл?

– Ну тогда валяй, – Борзой, не отрывая от Бубыря своего жуткого взгляда, достал из-под матраса карточную колоду. – И ты поставишь свою лайф на кон?

– Я-то да, а ты сам-то не хиляк? – выпалил Бубырь.

– Ну и давай проверим. Видишь, «картинки»? Вот и давай поставим наши жизни. В «очко», как полагается. Выигрываешь, я по твоей указке замочу любого. Хоть самого себя. Продуваешься – ты должен замочить, на кого я укажу. Идет или слабо?

– Тасуй, – сказал Бубырь, пересаживаясь на шконку Борзого.

– Эй, братва, вы чего, охренели там в корягу? – подал голос Карась.

– Засыхай! – оборвал его Борзой.

Четвертый обитатель хаты, Чиркаш, как уже было сказано, валялся в отрубе и глядел сны про вольную волю. Если б он бодрствовал, то непременно предпринял бы что-нибудь, чтобы всю эту хренотень прекратить. Включил бы психа, еще что-нибудь... Или сумел бы как-нибудь просемафорить цирикам – потому что должен. В случае конкретных заморочек в хате с него ответка будет по полной. У «крестовских» оперов имелся на Чиркаша матерьяльчик, который обязывал Чиркаша барабанить на товарищей по камере со всей старательностью юношеского пыла. А первой обязанностью «барабана» Чиркаша являлось предотвращение всяческих... этих... ЧП, во.

— Сдавай, — сказал Борзой.

Бубырь швырнул на одеяло карту. Борзой накрыл ее пятерней, приподнял, глянул и положил на место. Бубырь сдал следующую карту.

— Себе, — сказал Борзой.

Бубырь вскрыл первую карту, шлепнул ею по одеялу. На потертое сероватое сукно легла семерка. Он открыл следующую карту. Король. С одиннадцатью очками закрываться было глупо. Пришла очередь следующей карте лечь на одеяло картинкой вверх. Худшее из того, что могло выпасть — туз.

Выпал туз.

— Перебор, — осклабился Борзой. — Не фарт тебе сегодня.

— Давай еще, — быстро проговорил Бубырь. — На отыгрыш.

— Ленинградская тюрьма,
Что стоит на берегу,
Не хватает силы воли
Нае...уть тебя в Неву, —

пропел сквозь сон Чиркаш.

— Сперва расплатишься, потом будешь отыгрываться, — страшным шепотом проговорил Борзой, приблизив свое лицо к лицу Бубыря. — И не вздумай мне крутить, паскуда. Знаешь, что бывает на зоне с теми, кто не отдает карточные долги? Тебе еще повезет, если тебя всего-то определят к параше и назначат петушком кукарекать. Легко отделаешься — всего-то дупло свое сдашь в аренду под место общественного пользования... А обыкновенно таких мочат.

— Я что, я же не говорю, что не хочу отдавать, — проблеял начинающий трезветь Бубырь.

— На, выпей, — протянул ему стакан с водкой Борзой. — Долг отдашь... короче, когда скажу, сразу и отдашь.

Борзой вдруг улыбнулся внезапно пришедшей в голову гениальной идее:

— А валить будешь, братан, ты цирика.

— К-кого? — скис Бубырь. — Ты че, в натуре... Меня ж порвут!..

— А ты че хотел?! — мигом взъерепенился Борзой. — Бля, чтоб я тебе таракана предложил мочкануть? Боец ты или хрен с бугра? Вот и докажи!

Если б Чиркаш все же очухался и въехал, в чем дело, наверное, он что-нибудь придумал бы, чтобы опередить события...

Но он не очухался.

...В то же самое время, пока Алексей Карташ боролся со следователем Малгашиным, в хате номер четыре-шесть-* трое его сокамерников вели неспешный разговор.

— То есть, ты уверен, что наш «вован» не подсадка, — с сомнением сказал Квадрат, разглядывая стираемый носок. — Эй, оперок, к тебе обращаюсь!

Эдик отвлекся от сочинения очередного заявления в горпрокуратуру («Следователь Пупкин, фиксируя в протоколах допросов мотивацию моих поступков, произвольно придает им предвзятый характер и искажает смысл моих показаний. Заявляю, что эти записи действительности не соответствуют, и прошу вас принять меры реагирования...»), поднял голову:

— Ась?

— Ты опять там заявы строчишь?

— А что, чем больше бумажек, тем лучше... Чего хотел?

— Ты уверен, блин, что вэвэшник наш не подсадка?

— Теперь уверен, – ответил Эдик, отложил заяву в сторону и закинул руки за голову. – Позвонил, навел кое-какие справки... Действительно в «Арарате» угандошили двоих, мужика и бабу. Гаркалова и какую-то телку. Подозреваемого в «Кресты» определили. Вот только пока найти, кто следствие ведет, пока не смог... Более того: ФСБ тоже грабки в это дело тянет, что-то там вынюхивает, но пока аккуратненько. Оно и понятно: ведь не инженера убили, а сынка *такого* дяди. Короче, чист наш соседушка. В том смысле, что это не подстава, а он не подсадка.

— Да щас, – фыркнул Квадрат, намыливая второй носок. – Сработать такую подставу – плевое дело. А если и есть сложности, то чисто технические. А все «чисто технические» решаются с помощью бабок как «ха». Ну, а если еще и подстраховка имеется... Короче, поручи мне кто сварганить такую липу, оформил бы не хуже.

— И кому понадобились такие «сложности»? Навертеть столько всего – и ради того только, чтобы мы прониклись доверием к засланному «казачку», а он бы успешно про нас барабанил? Фигня. Это называется – из пушки по воробьям.

— Ну, не знаю, – сник Квадрат. – А тогда зачем вы в это дело впутываетесь?

— А интересно, тут «вовик» прав, – незамысловато ответил Эдик, приписав в свое заявление: «В связи с вышеизложенными фактами прошу Вас назначить доследование по моему делу в полном соответствии со статьями УПК РФ...» – И бабок можно срубить.

– Да щас, – повторил Квадрат и повесил носки на веревку. – Откуда у этого сибирского валенка бабки? По мне, так это обыкновенная бытовуха. Мало у вас бытовухи проходило? Какой-нибудь слесарь по пьяни треснет супружницу сковородой по башке, а то заодно и соседа, которого обнаружит в шкафу, потом проспится и бежит сознаваться... Только тут вместо сковороды волына, а вместо портвейна – вискарь. А сознаться или уйти в бега Карташ просто не успел, вот и все дела...

– Но волына-то не его.

– Врет, его.

Трое в хате, судья, опер и гаишник, от мозгового безделья ворошили историю отсутствующего Карташа. Просто так. Ради убивания времени. Во-первых, все остальные темы, включая баб, жрачку и выпивку, уже обкашляны и перетерты по десять раз, а тут – что-то новенькое... Во-вторых, в людях разгорелся чисто профессиональный интерес. В кои-то веки к ним на хату попал вполне вероятно невиновный. Это как если б в одной камере сидело трое математиков, а к ним подсадили четвертого, который вдруг изложил бы им новую возможность доказательства теоремы Ферма. Как тут удержишься от обсуждения!

Короче, прав был Алексей Карташ, все рассчитал верно, когда, получив дачку от неизвестного благодетеля, предложил сокамерникам развлечься несложной игрой. В качестве аванса он отдал им все бутылочки из посылки, а в случае успеха посулил более весомые материальные блага в денежном выражении... В успехе он, естественно, очень сильно сомневался, поскольку рассказал им о себе далеко не все, но... чем черт не шутит? Да и само предложение было настолько бредовым, настолько *киношным*, что сокамерники не могли не согласиться.

Карташ предложил оперу, судье и гаишнику расследовать свое дело. Вот просто так взять – и расследовать. Не выходя из камеры. Посредством лишь имеющегося телефона, былых связей, оставшихся на воле друзей-коллег и силы своих могучих, профессиональных до последней извилины мозгов. Поначалу судья, опер и гаишник, разумеется, дружно покрутили пальцами у виска и разошлись по углам... но постепенно в разговорах нет-нет, да и всплывала эта *тема*.

– А я вот что скажу, мужики, – вдруг подал голос давно молчавший Дюйм.

– О, а я думал ты дрыхнешь, – хохотнул Квадрат.

– Было у нас в производстве такое дело... – продолжал судья, не обращая на гаишника ни малейшего внимания. – Вел не я, просто рассказывали. Садик на Васильевском рядом с кинотеатром «Прибой» знаете? Ну вот. Лето. Четыре утра. Белая ночь. Тепло. По садику гуляет влюбленная парочка. И натыкается на натянутую через парковую дорожку растяжку. Взрывается граната, два трупа...

Он неторопливо прикурил сигарету, выпустил облако дыма, повернулся на спину и, ухватившись руками за каркас шконки над головой, принялся подтягиваться.

– Приехали менты, разбираются, – с натугой продолжал он, не отвлекаясь от спортивных экзерсисов. – Выясняется, что парень простой, а девочка – это *доч-*

ка. Папашка ейный, может быть, и не бог весть кто по расейским масштабам, не Гаркалов все же, но в пределах города фигура вполне играющая, барыга со связями. Как оно часто бывает, войдя в возраст ранней спелости, дочурка сделалась неуправляемой, таскалась по дискотекам, попивала и покуривала, ночевать домой не приходила. И донеприходилась. Папаша стал давить на все кнопки, доказывая, что против него действовали конкуренты, кровиночку укокошили. А и действительно в ту пору у него случились обострения конкурентной борьбы за какой-то жирный кусок. Ему твои, Эдик, коллеги доказывают, что невозможно прямо перед носом незаметно натянуть растяжку, это ж не партизанский лес, а культурный парк, да и вообще... бред. Тот слушать ничего не хочет, а папашка-то, как я говорил, со связями. Ну и начали разрабатывать его конкурентов. А там шушера еще та подобралась, уголовник на рецидивисте и бандюком погоняет. По этой теме провели обыск почти наугад в одной из подозрительных квартир. Я потом видел изъятое – мать моя, чего там только не было! И стволы, и гранаты, ну разве пулеметов было маловато. Короче, еще б немного, и посадили бы какого-нибудь шустрика. Но на счастье папашкиных конкурентов менты параллельно работали и по другим версиям. И вышли на реального преступника. Оказался – обычный псих. Из тех, кто воевал на чеченской и вернулся с вывертом в мозгах. Все воевать продолжал. Жил он напротив садика, целыми днями смотрел в окно, вот в его больной черепушке и бзикануло, что по садику бродят злобные «чехи». А оттуда, с войны, он прихватил арсенал не арсенал, но кое-что. В общем, вышел вечерком, поставил растяжечку на чеченов. И был уверен, что характерно, будто на растяжке подорвались именно «чехи». Сейчас его, вроде из дурки уже выперли...

— Ну и любишь ты байки травить, отец, — констатировал Квадрат. — И чего? Какая из этого следует мысль?

— А такая, *сынок*, что иногда, бывает, капканы ставят не на того, кто в них попадается, — Дюйм разжал пальцы и устало откинулся на шконке.

Обмозговали и эту вероятность. После чего Эдик тоже закурил и резюмировал:

— Фигня. Так мы вообще ничего не пробьем, слишком много неизвестных получается. Надо исходить из четкой вводной: грохнули именно того, кого хотели грохнуть... Но вот вопрос: сынка за какие-то делишки свалили или папу таким макаром стращали?

— Думаю, папу стращали, — сказал Дюйм. — Забиться бы с тобой на пару флаконов, но рассудить будет некому...

— А я думаю, сынка с дороги убирали, — сказал Эдик. — Про него мне не раз барабанили, что он замазан с угнанными тачками и с таможней. Только кто б позволил его разрабатывать...

— А вдруг подставляли как раз нашего приятеля? — азартно высказался Квадрат. — Может, он на зоне в чем-то запутался или кого-то обидел. Тем более, жил здесь в «Арарате», а эта развлекуха не для бедных вэвэшников.

— Да ну, чума! — отозвался опер. — Ради того, чтобы посадить одного вэвэшника, угрохали Гаркаловского сынка? Кстати, и бабу себе при этом повесили на шею дополнительной гирей... Поглядел бы я на такого идиота. Если б наш «вова» кого-то не на шутку разозлил, то пришили бы его самого без лишних задрючек, и всех делов.

— Вот поэтому я и говорю, что тут против папы играют, — сказал Дюйм. — Всем понятно, сколько стоит заказ. А тут не просто заказ, а целый спектакль с переводом стрелок на другого. То есть — высший пилотаж. А сам по себе сыночек на столько не тянет, — и голосом Мкртчяна из «Мимино» добавил: — Я так думаю!.. Про нашего же приятеля я вообще не говорю.

— Чего ж он в «Арарате» жил? — не унимался Квадрат.

— Тебя завидки берут, да? — усмехнулся Эдик. — Может, у бабы этой, невинно убиенной, отец нормально капусту рубит. Допустим, моет левое золотишко, браконьерит.

— Так, может, против бабы мухлевали? — предположил Квадрат.

— Или против гостиницы, чтоб навсегда опорочить ейное имя в туристских глазах. Чем не тема? — Эдик протяжно зевнул. — Не, мужики, если это заказуха и парня подставили, то хвост можно найти. Убийца ж по воздуху не летал. Сколько в гостинице входов? Два-три, один из которых парадный и поэтому отпадает. Думаю, у убийцы среди отельных был сообщник. Который открыл и впустил, а потом выпустил и закрыл. Надо опросить тех, кто дежурил в ту ночь... — И проговорил мечтательно: — Эх, на воле я бы вычислил суку, как два пальца, мамой клянусь. Я такую публику придавливать умею, живо бы ущучил, кто мне врет...

– Сообщник, говоришь? – задумчиво протянул Дюйм. – Ну, не знаю... Умельцу не проблема открыть запертый на ночь служебный вход – можно обойтись и без сообщника.

– Рискованно, – возразил опер. – А если прямо за дверью сторож храпит? Мочить, что ли? Блукая по служебным подсобкам, рискуешь заплутать и еще кого-нибудь разбудить. Мочить всех подряд? Так никогда до цели не доберешься.

– Сообщник, – на этот раз Дюйм проговорил это слово без вопросительной интонации. – Ну, если ты прав...

И затих.

– Чтой-то ты больно таинственно замолчал, – ухмыльнулся Эдик. – Задумываешь чего, старый жучара?

– Да вот пришла в голову одна идейка, – сказал Дюйм. – Все кругом товар, браток, все продается, покупается, перепродается или сдается в аренду. Вот я о чем. Главное, найти товар и покупателя. Усекаешь?

– Не-а, – признался Эдик. – Ты уж расшифруй.

– Ну и тупая нынче молодежь пошла... Ну вот представь: предположим, что вся эта возня действительно была направлена против либо папашки Гаркалова, либо Гаркаловского сынка – не суть. И что? А то, что не обязательно винтить убийцу или обкладывать заказчика уликами. Достаточно обнаружить некий фактик, махонькую такую зацепочку, которая стопудово доказывает, что все это фигня и липа, сибирячок ни при чем, налицо заказуха, а заказушный ветер дует... ну, после выяснится, откуда дует, не важно. А важно то, что этот фактик продается. Как думаешь, оперок: купит его папашка Гаркалов, чтобы узнать, кто про-

178

тив него играет или кто на самом деле уложил его отпрыска? Между прочим, в последнем случае товар можно сбыть еще и подельникам сынка...

Эдик рывком сел на шконке.

– Если цена будет не беспредельщицкая, Гаркалыч купит. Но, блин... Не, я понимаю, что ты умеешь торговать фактиками из уголовных дел. Ну и? У нас что, есть этот твой фактик?

– Можно попробовать нащупать, – безмятежно сказал Дюйм.

– Отсюда?! – искренне изумился Эдик. – Ну сибиряк-то ладно, он тут ничего не знает, но ты-то...

– Можно попробовать, – упрямо повторил Дюйм. – Есть у меня парочка идей, как это провернуть... И если ты скажешь: делать нам нечего, кроме как заниматься этой фигней, – то будешь прав.

– Мужики, я чего-то не догоняю, – напомнил о себе Квадрат. – Вы о чем?

– Наш спятивший судейский приятель, – любезно пояснил гаишнику Эдик, – собирается вычислить того, кто завалил Гаркалова-младшенького, и вдуть информашку папе. Не выходя из камеры хочет, Холмс фигов, раскрыть двойное убийство. Посредством одного лишь своего могучего ума с профессионально завитыми извилинами...

– ...а также с помощью телефона, былых связей и оставшихся на воле друзей-коллег, – напомнил Дюйм. – А че, слабо? У тебя есть дела поважнее? Не срастется, ну так и бросим, мы ж ничего не теряем, даже свои цепи...

Глава 14

СТВОЛ НОМЕР ДВА

Из окон коттеджа был виден Финский залив. Из других окон были видны джип «чероки» и «ауди», припаркованные справа от темно-красных железных ворот. Путь машин по двору отмечали колеи на не по-питерски сухом, неслипающемся, как из киношной «сноу-мэшин», снегу.

В каминном зале сидело трое мужчин. Они расположились в креслах неподалеку от разожженного огня; на низком столике дожидались, когда до них дойдет дело, откупоренные бутылка виски и бутылка вина, блюдо с фруктами и блюдо с канапе.

Все трое были людьми пожившими и повидавшими. Двое в свое время погостили у Хозяина, а Родик так даже дважды, от звонка до звонка. Третий, владелец коттеджа, с местами не столь отдаленными знаком был только понаслышке, но это обстоятельство нисколько не влияло на его авторитет в их компании.

Связывал их между собой общий бизнес. Правда, кое-кто не согласился бы со словом «бизнес» в применении к тому, чем они занимались, назвал бы *это* как-нибудь по-другому, обидным каким-нибудь словом. Ну да и пусть, хрен с ним...

А занимались собравшиеся здесь люди машинами.

Нет, они не производили авто и не ремонтировали.

Они машины угоняли. Как любил говорить Карновский, владелец коттеджа на берегу залива: «Если существуют автомобили, кто-то же должен их угонять!»

Разумеется, они не сами уводили тачки с улиц, хотя кое-кто из них много лет назад начинал именно с этого и теперь, случись такая надобность, не оплошал бы.

«Угон» – для многих звучит как-то невнушительно. Дескать, мелкая уголовка, забава для малолеток или занятие для одиночек... Увы, время одиночек безвозвратно миновало. С тех пор, как на улицах городов количество автомобилей многократно выросло и среди них на каждом шагу все чаще попадались дорогие и престижные, появилась возможность развернуться и превратить одиночные кражи в налаженный бизнес. Люди понимающие вам скажут, что эта сфера криминальной деятельности по доходности лишь немногим уступает наркоторговле и продаже оружия.

Хотя, справедливости ради... или точности ради, как угодно, – следует отметить, что эти люди не занимались автомобильным разбоем. Разбойный бизнес держали, главным образом, выходцы из южных регионов. Видимо, тамошней горячей натуре претило долго и терпеливо отслеживать присмотренную или заказанную тачку, выяснять, где и насколько обычно паркуется автовладелец, какой модели установлена противоугонка (хотя многие лохи, между нами говоря, клеят на боковое стеклышко бумажку с угрожающей надписью: дескать, машина оборудована сигнализацией фирмы такой-то, берегись! Ну не идиоты, а?), записывать с помощью прибора под нерусским названием код-граббер электронный код сигнализации во время ее отключения – дело тоже, кстати, непростое, если хозяин нажимает кнопочку на брелоке почти вплотную к борту... А еще ведь надо обеспечить группы прикрытия и сопровождения, и главное – создать сеть автомастерских по разборке машин и перебивке номеров. И уж тем более претило любителям лихих налетов на трассе выстраивать сложные схемы переправки угнанных в Западной Европе автомобилей в Россию.

Так что неблагодарным, небезопасным, тяжелым трудом по угону без разбоя приходилось заниматься нашим соотечественникам. Бедняги.

Работу последней схемы, а вернее, такой тонкий и наиболее ответственный момент, как провоз машинок через таможню, обеспечивал Гаркалов-младший. Где крутятся большие деньги, там просто необходима поддержка во властных структурах. Димочка Гаркалов, главным образом благодаря своему папашке, имел, разумеется, обширные связи в тех самых структурах.

Димон по жизни был, конечно, раздолбай, но в том, что касалось дела, соображал хватко и свои связи никому не передоверял, держал замкнутыми только на себя. А ведь незаменимым быть лучше, не правда ли? Оно как-то надежней... и безопасней.

И сейчас Гаркалов-младший был мертв. Схема, кою контролировал он при жизни, пока работала, но... Но уже назревали первые проблемы.

И проблемы предстояло как-то решать.

Владелец коттеджа поправил поленья в камине, бросил щипцы в металлическую стойку и вернулся к остальным. Со стороны залива в окна ломился соленый ветер, но в каминном зале было тепло и уютно.

– Чего звал-то? – спросил его Родик.

Сперва Карновский достал из коробки сигару «Черчилль Гранд Корона», обработал кончик сигары ножичком, раскурил ее и только потом преспокойнейшим образом ответил:

– Вчера у меня нарисовался один хрен. И начал базар с того, что может, дескать, сохранить нам канал на таможне.

Двое его слушателей переглянулись.

– В смысле? – по-простому спросил Южный.

– Дай я уж по порядку, – сказал Карновский, стряхивая сигарный пепел с колен. – Потом он назвал ваши имена... И вообще у меня сложилось впечатление, что ему известно о нас все.

– Так, – напрягся Родик. – Откуда он нас знает? Мент?

– Не похож, – покачал головой Карновский. – Судя по тому, что он предложил... Скорее, тут чувствуется потная лапка папаши Гаркалова. Ты дай договорить, а потом уж перетрем тему.

– Ну так договаривай! – сорвался Родик.

– Не нервничай, вредно, – равнодушно сказал Карновский. – Далее этот хрен привел кое-какие фактики, которые знать ему вообще не положено. Но которые во всех подробностях рисуют нашу с вами... творческую деятельность.

– И ты так спокойно об этом рассказываешь, будто про хоккей! – опять взвился Родик.

– А ты обожди разоряться раньше времени. Сейчас похлеще пулю услышишь. Фактики – это так, подстраховка ему и подтверждение его крутизны. А вообще он с прискорбием вынужден был сообщить, что, в связи со смертью Димона наш канальчик на таможне тю-тю. В смысле, будет прикрыт.

Повисла тишина. Лишь ветер шумел за стенами, скребся в стеклопакеты, хлопал плохо закрепленной ставней.

Карновский, рисуясь, выпустил два сигарных кольца – покрупнее и поменьше, полюбовался и продолжал:

– Но и это еще не все. Есть возможность сохранить канал за нами. А для этого он убедительно просит нас помочь ему в одном дельце. Так, пустяк. Мы должны убрать того хмыря, который завалил Димона. Более того, он предложил нам план действий. Он пронюхал, что в «Крестах» сидит наш парень, Башан, который и рекомендует нам действовать через него – мол, тот и так сидит за мокруху, ему что за одного отвечать, что за двух, без разницы. Взамен нам сохраняют канал... Вот теперь все.

– И как этот хрен вообще на тебя вышел? – Южный плеснул себе вина – когда ему предстояло садиться за руль, он избегал крепких напитков.

– Знаешь, он как-то мне не докладывал, – в голосе Карновского впервые прорезалось раздражение, и стало ясно, что его спокойствие напускное.

– А как выглядит?

– Обыкновенно, – пожал плечами Карновский. – Даже, я бы сказал, нарочито заурядно. Без примет. Встреть по-новой – не узнаешь. Правда, на откровенную шестерку не похож. Все же взгляд выдает определенное... *положение*. На мой нюх – порученец при пахане.

– Все зависит от того, какой пахан, – раздумчиво сказал Южный. – При ином пахане шнырем быть почетней, чем...

– Хоре философить! – перебил Родик, нервно катая по столу апельсин. – Он сказал, от кого пришел?

– Сказал, что его я могу называть Иван-Петровичем или Иван-Иванычем, ему, мол, по барабану. Сказал, что передает *пожелание* весьма уважаемых и влиятельных людей, но называть их имена не уполномочен... На мой взгляд, вполне достаточно того, что он знает о нас *излишне* много.

– Ты хочешь сказать, – внимательно посмотрел на него Южный, – что его командировал Гаркалов-старший?.. А что, очень может быть. Во-первых, у папаши Гаркалова имеется прямой интерес замочить того хмыря – отомстить за сына. Во-вторых, обещание сохранить канал на таможне. Старшему это под силу. В-третьих, эта осведомленность. Меня, например, ничуть не удивляет, что папаше может быть известно о нас все.

– Намекаешь, сынок ему стучал? – нахмурился Родик.

– Стучал вряд ли – че ему на себя самого стучать... А вот папашка мог поручить своим шестеркам разузнать, чем это сынуля столь оживленно занимается в Питере. Поскольку возможностей у папашки хватает, ему все и разведали в наилучшем виде: тачки, мол, Димон дорогие тырит. А папашка, видимо, решил, что это нестрашно, что не даст, в случае чего, сынку погореть. Нехай дитя тешится – кровушка-то молодая бурлит. А поумнеет, опыт этот пригодится для более серьезных дел. Тем более, перевоспитать сына ему все равно не удалось бы, а перекрой сыну кислород своими возможностями – еще неизвестно, куда Димочку понесет... В общем, папашка успокоился, но информацию приберег до времени.

– А этот шнырь тебя никак не прессовал? – спросил Родик у Карновского. – Типа, что натравит мусоров?

– Пока нет, – сказал Карновский. – Но думаю, все впереди. И я не буду удивлен, если в скором времени он снова нарисуется и предложит еще что-нибудь – под тем предлогом, что эти фактики вскорости могут лечь на стол людей в погонах. А то и тех, кто предпочитает насквозь цивильное шмотье...

– Не думаю, – пожевал губами Южный. – Из нас киллеры, как из ведра корона. У нас ведь другой профиль... Если он действительно от папаши Димона, то, полагаю, добьется своего и отвалит. Гаркалову бизнес наш на хрен не нужен, он так низэнько не летает.

– Да о чем вы болтаете? – Родик в сердцах швырнул апельсин в огонь. – Вы че, в натуре собрались в киллеры податься? Какой-то пидор разводит нас, а вы яйцами только брякаете! И на кой хер нам в это ввязываться? У нас своих дел не разгрести, а еще в мочилово лезть! Мы ж мокрым не занимаемся!

– А Башан? – напомнил Карновский.

– И где теперь этот Башан?! Сам влип, и чуть всех нас за собой не утащил!

– Ты посчитай, Родик, сколько мы потеряем, если накроется эта лыжня на таможке, – негромко сказал Южный. – Пока новый канал проложим... Если вообще проложим. Но даже не это главное...

– А че? – Родик успокоился так же быстро, как и завелся. И Карновский всерьез подозревал, что компаньон давно и прочно сидит на коксе. Да и перед встречей наверняка заправил ноздри парой «дорожек».

– Конкуренты, – ответил Родику Южный. – Если мы упустим канал, его приберут в два счета. А даже если не приберут, то узнают о нашей неудаче и вообразят, будто мы сдулись. И кому-то из конкурентов в головенку обязательно закрадется нехорошая мысль: а не отхватить ли от них кусочек, пока ребята не на коне. А следующая непременная мысль – а не прибрать ли все наше хозяйство подчистую...

– То есть ты склоняешь подписаться на мокруху? – Родик в одиночку налил себе водки и выпил залпом. Его никогда не волновало, сколько он зальет в себя водки, перед тем как сесть за руль «чероки».

– Я ни к чему не склоняю, я просто размышляю вслух, – сказал Южный.

– Ну, положим, мы вписываемся, – не успокаивался Родик. – И как нам это провернуть? Это ж «Кресты»! Ну и что с того, что там Башан парится! Как его подписать, как его подвести?

– Как подвести – не проблема, – вместо Карновского ответил Южный. – Пересечься человеку с человеком в «Крестах» легко, были б бабки. А вот как подписать Башана – это да, вопрос. Добровольно взять на себя еще одну мокруху... Башан, конечно, не семи пядей во лбу, но не идиот же! Тем более, пока он еще надеется, что дело и с первой мокрухой накроется медным тазом, что он выйдет из крытки весь такой белый и пушистый...

– А если не Башана напрячь? – высказался Карновский.

– А кого еще? – усмехнулся Родик. – Закрывать кого-то спецом? Да та же фигня, только еще заморочней!

– Погодите.

Карновский поморщился и размочалил сигару в тяжеленной пепельнице.

– Есть одна идея. Кажется, можно попытаться и подписать именно Башана. Он делает дело, а потом включает дурика. Ну, кричит, там, дрыгается, бросается на всех, сопли, пена на губах, все дела... Поскольку налицо натуральное немотивированное мочилово, то его везут в психушку на экспертизу. А там никого даже подмазывать не придется! Это Башану мы скажем, что лепилам бабла заслали, типа чтоб нарисовали они тебе верную справку. А лепилы и вправду нарисуют ему, что он псих. И Башана отправляют отсиживать в дурку...

— А там не зона, там режим лафовый, — азартно подхватил Южный. — И при первой возможности таких постояльцев выгоняют пинком под зад, потому как тамошним лепилам на фиг не нужны такие клиенты. Если ты не серийный и ведешь себя чики-чики, то обычно держат пару месяцев, не больше.

— А потом обратно в «Кресты», — буркнул Родик.

— Но Башану можно пообещать, что из дурки мы его выкупим уже через неделю, ну, на худой конец, через месяц, — воодушевленно продолжал Карновский, видя, что его идея воспринимается с одобрительным вниманием. — Штуку ставлю: Башан подпишется на таких условиях.

— А мы только пообещаем или... — Южный обвел взглядом собеседников.

— Надо помочь, — твердо сказал Родик. — Башан — пацан правильный, кидать его западло.

— Слушайте, — Карновский с улыбкой откинулся в кресле, — ну а кто нам мешает запросить у этого посредника... ну, скажем... полста тыщ зеленых? Вроде как на текущие расходы. И заявляем, что только на этих условиях мы соглашаемся. Если за всем этим действительно стоит папашка Гаркалов, он раскошелится, для него это не деньги. Ну и, разумеется, остается *наш* канал на таможне.

— Кажется, срастается, — потер ладони Южный, — но надо еще как следует обкашлять все нюансы...

Глава 15

ДЕЛА НЕПОНЯТНЫЕ...

Прогулка по зимнему Питеру в неожиданно грянувшую оттепель – занятие, прямо скажем, мало увлекательное. Под ногами чавкает, в ботинках чавкает, нормальной зимой и не пахнет, а в лицо прицельно лупит мокрый снег, ветер непостижимым образом забирается под заправленный в джинсы свитер...

Прогулка в «Крестах» при такой погоде выглядит несколько лучше: тут снег хоть убирается, да и стены прикрывают от ветра, но, поскольку Алексей Карташ был выдернут из привычной жизни совершенно для него неожиданно, то и подготовиться к переезду на казенную квартиру он не успел. Вот и вышагивал теперь по дворику в том, в чем щеголял на презентации, а именно в лакированных туфлях, коротком стильном пальтишке поверх костюма и без шапки. Однако оставаться в опостылевшей хате было совсем уж невмоготу, поэтому Алексей старался наслаждаться стылым воздухом, пробирающей до костей сыростью и разминанием нижних конечностей в снежной кашице. Прочие же обитатели «Крестов» резвились как дети. В первый раз узрев шествующих на прогулку сограждан, Карташ малость прибалдел. И было отчего: соседи по СИЗО несли с собой тряпичные мячи, связки наполненных водой двухлитровых бутылей из-под минералки: типа гантели, даже боксерские перчатки мелькнули в толпе – ну чисто зэки из американских фильмов торопятся размяться на свежем воздухе... А с другой стороны, что удивительного: в тюрьме особо заняться нечем, так почему бы мышцу сидельцам не покачать?..

Как это не странно, но идиотская с какой стороны не посмотреть игра в расследование, затеянная им и увлекшая всех четверых, дала первые результаты. Эдик связался со своим приятелем-опером и наплел, что ему срочно требуется помощь: покрутиться в отеле «Арарат», побеседовать с персоналом, пошакалить вокруг – в общем, разнюхать, так ли уж верна версия следствия насчет убийства задержанным в состоянии аффекта. Может, вовсе и не задержанный укокошил голубков? В случае победы приятеля ждет новая звездочка... ну, а в случае неудачи – море халявной водки. Оперок и в самом деле оказался парнишкой толковым, все эти дутые Дукалисы-Фуялисы отдыхают и не встают, и периодически давал отчеты. Отчеты по телефону принимал Эдик и пересказывал услышанное остальным. (Причем сам процесс приемки каждой телефонограммы превратился для Алексея в какой-то унизительный и мерзкий ритуал... ладно, не будем сейчас не об этом.)

Короче, этот опер надыбал вот что.

Он побывал в той гостинице. Жизнь там, как выяснилось, идет своим чередом, из-за Карташа *отелю* не закрыли, другие постояльцы не съехали, глаза у персонала не красные от непросыхающих слез...

В общем, визит опера никого, понятное дело, не удивил. Более того, некоторые выражали легонькое удивление, что их не донимают подобными визитами по десять раз на дню. Словом, персонал выражал полную внутреннюю готовность к беседам. И никому, ясное дело, в голову не пришло поинтересоваться из какого отделения к ним пожаловали, уж не из того ли, которое не имеет к расследованию ровным счетом никакого отношения... Опер поговорил с управляющим, взял адреса тех, кто работал в ту ночную смену, но кого на месте не оказалось, съездил, переговорил и с ними. В целом ничего особливого. Ни тебе паспортов, оброненных убегающим преступником, ни отпечатков вымазанных креозотом ботинок, ведущих до самой хазы. Персонала в гостинице по ночам немного, и никто из них ничего не видел и не слышал до начала переполоха. Кстати, никто их до Эдикового опера толком-то и не расспрашивал. Да и коридорную, что дежурила на этаже в ту ночь, тоже спрашивали только об имеющем непосредственное отношение к бурным ночным событиям. А оперок поспрашивал и о другом.

Коридорные дежурят на каждом этаже, их стол находится в закутке, из этого закутка коридор не просматривается – тем более, извилистый, тем более, ночью им делать, по сути, нечего, и они мирно кемарят на диванчиках. Не положено, конечно, престиж, репутация и все такое, но кто ж ночью сунется проверять... Кемарила и коридорная на втором этаже. Сперва ее разбудил приезд хмельной троицы, она выглянула, пронаблюдала, как вносят Карташа и вновь задремала. Зато выстрелы ее разбудили окончательно и бесповоротно. То есть теоретически *некто* легко мог незамеченным проникнуть в номер – как до триумфального приезда, так и после. Особенно уверенно *некто* мог действовать, если был осведомлен о гостиничных порядках.

— Или если коридорная сама повязана, — мрачно добавил в этом месте рассказа Дюйм.

— Или если так, — согласился Эдик. — В результате, как я сказал, опер переговорил со всеми, кто дежурил в ту ночь.

И не понравились ему из всей обоймы двое. Один, сразу было видно, насквозь продажный тип, который за деньги готов бомбу подложить под собственную задницу. А второй... второй не понравился еще больше. Слишком уж был весел, непринужден и умеренно нагл — как развязный халдей в дорогом кабаке. Причем заметно, что ему хотелось обнаглеть по полной, но он удерживался. Немного права покачал — дескать, вызывайте повесткой, пишите протокол. Но видно было: права качает спектакля ради. Поэтому легко успокоился после обычных в таких случаях увещеваний, что это, дескать, просто ни к чему не обязывающий разговор, что вы же хотите оказать всемерную помощь в установлении справедливости и так далее. И все свои «не знаю, не слышал, не видел» дальше долдонил с игривым блеском в глазах... Короче, опер почувствовал в нем некое второе донце.

— Ни при чем человек, вот и все объяснение. Не все же должны дрожать при виде ментовских корок, — сказал Карташ.

— Да что ты говоришь! — хмыкнул Эдик. — А я и не знал! А я, можно подумать, деревянный по уши и думал, что всенепременно должны дрожать и обязательно, чтобы все... Сказал же: опер мой *унюхал* второе донце, и я ему доверяю. Что такое ментовское чутье, в курсе? Тем более, и панику в халдее он тоже почувствовал, когда вопросики задавал. Хотя задавал со всей мягкостью, можно сказать, вопросиками по шерстке гладил, но нет-нет, да и проскочит эдакая искорка. Как бы это словами-то объяснить, про чутье... Ну вот не станет человек ни с того ни с сего паниковать, понимаешь? Страх, неуверенность, зажатость перед ментом – это нормально, это в порядке вещей. Все ментов боятся. Но не паникуют же! Тем более какой-то сраный халдей...

– А по-моему, первый тип более подозрительный, – возразил гаишник Квадрат. – Тот, который всех готов продать за деньги.

Эдик скептически покачал головой:

– Этого уже убрали бы, будь он причастен. Таких гнилых людишек в живых не оставляют, опасно. Гнилой – значит, трухлявый, ткни посильнее – и рассыплется. Или придумает, кому можно выгодно продать информацию.

Еще приятель Эдика полюбопытствовал в гостинице, кто там проживал по соседству с номером, где остановились Алексей с Машей. Его послали к управляющему. Управляющий, естественно, удивился: «Дык ваши уже выясняли!» Но сами понимаете, сказал опер, дело громкое, параллельно расследуется несколькими подразделениями, чтоб никаких ошибок и неточностей. Управляющий ботву проглотил и позволил заглянуть в компьютер, куда заносятся данные постояльцев. Один из соседних номеров занимал и до сих пор занимает какой-то барыга из Канады, другой номер пустует. И в ту ночь тоже пустовал. Опер захотел переговорить с постояльцами. Идея управляющему не понравилась: постояльцев, дескать, уже опрашивали, и многие остались недовольны повышенным вниманием к своим персонам... Ну, опер не стал настаивать. Клиенты для гостиницы – это серьезно. Ясно дело, что кто-то из них что-то обязательно слышал. И в первую голову весьма неплохо было бы потрендеть с бизнесменом из Канады, но с ментовскими возможностями...

Такие дела.

Карташ месил снег среди прочих заключенных в прогулочном дворике и размышлял. Итак, параллельно официальному следствию эти сыскари затеяли следствие частное. И уже что-то начало вырисовываться: пустой номер, подозрительные типы из обслуги, плохой обзор коридора со стороны коридорного – все это было лучиком света в непроглядной тьме тоски и беспомощности. А ведь приятель Эдика еще только нащупывал подходы...

Кто-то тронул его за рукав, и Карташ обернулся.

– Эй, братан – абсолютно незнакомый плюгавенький мужичок в ватнике, метр с кепкой росточком, смотрел исключительно мимо, – ты это, ты завтра с утреца на поверке скажи, что у тебя зуб болит...

– Чего? – не врубился Карташ.

– Чего, чего! – рассердился плюгавый визави, но смотрел все равно в сторону. – Не ори, бля, люди ж кругом... Зуб у тебя болит, понял? Так завтра и скажешь. Не забудь. Понял?

– Нет, не понял! – Алексей высвободил рукав из пальцев мужичка. – А ты...

– Ну и мудак, – констатировал мужик. – Я тебе дело говорю. Потом локти кусать будешь... – и растворился в толпе гуляющих и резвящихся. Как и не было.

Карташ пожал плечами и отвернулся.

Разбрелись по хатам. О странном предложении насчет больного зуба сокамерникам, на сей раз прогулку манкировавшим, он не рассказал – просто не дали. Едва за Алексеем закрылась дверь, Дюйм, ласково улыбаясь, указал ему на верхнюю пустующую шконку:

– Ну что, голуба, нагулялся? Полезай-ка.

– Опять? – возмутился Карташ. – Слышьте, мужики, достало. Вы че, издеваетесь?!

– Ты хотел, чтобы мы помогали? – напомнил Эдик. – Вот и давай.

– А пока меня не было, нельзя было?

– А вот нельзя было: абонент был вне зоны. Твои вопросы решал, между прочим.

Крыть было нечем. Унизительная церемония телефонного звонка началась. Ворча, Карташ забрался наверх и самолично накрыл голову одеялом. Квадрат положил сверху еще и подушку – для пущей надежности, и остался рядом, на стреме. Карташ скрежетнул зубами, но рыпаться не посмел. И в самом деле, чего протестовать, мужики помогают ему. То есть, *наверное*, помогают... Сыщики долбанные. Но вдруг... Чем черт не шутит... В последнее время, особенно после задушевного разговора со следаком, Алексей готов был хвататься за любую соломинку. Может, и стоило рассказать сокамерникам о веселых сибирских знакомцах, которые ради каких-то своих целей чуть ли не под пожизненное людей подводят? Нет. Рано. Пока Карташ не убедиться стопроцентно, что попал в переплет либо по прихоти, либо по недочету именно Глаголевской шарашки, нет смысла вскрываться. А дистанционно роющие землю сокамерники могут и в самом деле что-нибудь надыбать, даже если не будут знать подробностей... Особенно если не будут.

Он прислушался. Как и раньше, что-то заскрежетало, отодвинули что-то тяжелое, чем-то хлопнули, обо что-то ударили. Причем, какие из этих звуков были реальными, а какие производились для маскировки, он понять не мог, сколько не тщился. Известно было лишь одно: у чертей в хате имеется мобильник, который они старательно и, надо признать, надежно прячут от шмона... и от Карташа. Не доверяют, твари, родному соседу: а вдруг он казачком засланным окажется! И при том с азартом расследуют дело этого самого казачка... Вот и приходилось Алексею добровольно, посредством одеяла и подушки, лишать себя зрения и слуха, дабы, не приведи господь, не заметить ненароком, где у них тайник, когда уродам приспичит позвонить. И это уже превращалось в какой-то брcдовый ритуал. Эх, видел бы сейчас кто-нибудь со стороны этого храброго победителя бунтующих зэков, спасителя Президента Ниязова и защитника всея Сибири от воровского беспредела...

Ладно. И пусть. Лишь бы и вправду помогли.

Сквозь толщу импровизированной звукоизоляции приглушенно донесся голос Эдика, что-то бубнящий, слов было не разобрать абсолютно.

Минут через пятнадцать закончили, наконец, ироды. Это ж сколько они на связь тратят? И как потом счет Карташу выпишут?

Алексей выбрался из-под подушки и одеяла, свесил ноги со шконки, мрачно посмотрел на Эдика.

– Ну? Не томи.

Эдик закурил.

– Не обольщайся, ничего конкретного. Вчера оперок мой пошатался по округе: вряд ли убийца, если он, конечно, существует в реальности, приковылял пешком и пешком же удирал. Значит, машина была припаркована на соседних улицах...

Обходить квартал с опросом граждан, ясно, приятель Эдика не стал, он поступил иначе: поставил себя на место человека, которому необходимо держать машину поблизости и одновременно спрятать от посторонних глаз. Эту логику непрофессионала понять невозможно, а вот просчитать логику спеца – с этим в точности наоборот, если ты сам спец, конечно. Вот опер походил, походил по прилегающим улицам и отыскал дворик. Хороший дворик, просто изумительный, проходной и проездной, подлинно питерский, из него можно выехать на одну улицу, а можно и на другую. Дворик исключительно жилой, то есть без офисов со сторожами и без ночных магазинов. И опер пришел к выводу, что на месте убийцы он оставил бы машину здесь.

Дальше. Это центр города, живого места на асфальте мало, машины паркуются чуть ли не друг на друге, дома малоэтажные. Отсюда вывод: здешние автовладельцы наверняка знают тачки друг друга, типа как все друг друга знают в деревне. И если в окрестностях появляется новая машина, проходя мимо, невольно ее ревниво разглядывают, как в деревне разглядывают любого незнакомца. Значит, оставалось найти автолюбителей и переговорить с ними – глядишь, и обнаружится кто-нибудь, кто видел ночью постороннюю тачку. Первый заход ничего не дал – естественно, времени-то сколько прошло с убийства, но опер обещал еще разок туда наведаться.

Собственно, на этом новости с воли и заканчивались. Негусто, прямо скажем, однако для начала и этого было выше крыши.

Глава 16

...И ДЕЛА ПРИЯТНЫЕ

Как это ни странно, но плюгавый мужичок с интригующей просьбой насчет зуба напрочь вылетел у Алексея из головы — голова была забита размышлизмами насчет того, что удалось узнать приятелю Эдика... размышлизмами большей частью совершенно бесплодными. Старый сыскарский принцип «ищи мотив» в данном случае не работал по причине недостатка исходных. По исходным же, имеющимся в наличии, получалось, как ни крути, что мотив был только у одного человека. У Алексея Карташа.

А вот если все принципы отбросить, то... о, тогда тут возникало море разливанное предположений. Ну, примем за аксиому тот факт, что Карташа элементарно подставили. Тогда вопрос: кто? Варианты ответов: те, против кого была направлена операция Глаголевской фирмы. Сама Глаголевская фирма, преследующая свои интересы. Конкуренты или завистники — в общем, враги убиенного Гаркалова-младшего. Еще какая-то сила, о которой Карташ ровным счетом ничего не знал. И, наконец, различные комбинации этих *подозреваемых*: Глаголев плюс враги мачо, противник Глаголева плюс неведомая сила... и так далее, и тому подобное... Неизвестную ревнивую подругу питерского мачо, равно как и киллера, который на самом деле собирался убрать канадца из соседнего номера, но ошибся дверью, Алексей в расчет решил не принимать, иначе вообще свихнуться можно было...

Плюгавый вспомнился совершенно неожиданно, утром, когда в хату явились цирики – пересчитать поголовье узников и принять жалобы.

– Есть жалобы! – вдруг воскликнул Алексей. – Зуб, понимаешь, болит, сил нет, всю ночь не спал... Решите вопрос как-нибудь, а?

Цирик мрачно посмотрел на него, как на злостного симулянта, но пометку сделал.

Не прошло и двух часов, как дверь открылась вновь:

– Карташ есть такой?

– А куда ж я денусь со своей шконки, – очень натурально простонал Алексей, баюкая щеку. Играть так играть.

– На выход... шутник.

В компании конвоира он спустился вниз, вышел на улицу, на легкий морозец, жадно вдохнул воздух всей грудью. Воля, бля, хорошо... Если не думать, конечно, о том, куда его ведут. А вели его в сторону больничного корпуса, или как он там правильно называется... Е-мое, неужели и впрямь к дантисту? И на фига, позвольте узнать?! А может, «больной зуб» – это пароль такой, и Карташа препровождают...

Куда его могут препровождать, он так и не придумал, но в мозгу постоянно маячил образ каких-то нечетких то ли подпольщиков, то ли заговорщиков.

Лепила курил у входа. Внимательно осмотрел приблизившуюся парочку, буркнул равнодушно: «Карташ?» – и, получив утвердительный ответ, выкинул хабарик в урну.

– Покури пока на улице, – сказал он конвоиру. – Это где-то на полчасика... а если зуб удалять придется, то и раньше закруглимся.

«Блин...» – подумал Алексей. Что еще удалять?!.

Конвоира долго упрашивать не пришлось, и теперь вдвоем, Карташ и зубодер, направились к кабинету. Остановились возле обшарпанной двери.

– Заходи, – сказал лепила, глядя куда-то вниз и вбок, куда угодно, только не на подследственного Карташа. И добавил непонятно: – У вас сорок минут.

«На что?..»

Он открыл дверь, пропуская пациента вперед. Алексей настороженно шагнул внутрь... и замер на пороге. Дверь за его спиной закрылась.

«Провокация», – вот первое, что подумал Карташ. Сейчас ворвутся вертухаи, повяжут обоих, как миленьких, его определят в карцер, а ее...

Нет, погодите. Какой, к черту, карцер? За что? За *это*?!

Кабинетик был все тех же стандартных восьми метров площадью. В центре помещалось древнее, как советские времена, стоматологическое кресло, рядом – столик с инструментами, накрытый белой тканью, за ним – стульчик для врача.

В кресле вольготно расположилась рыжая крашеная девица в черной полупрозрачной блузке и короткой кожаной юбчонке и дерзко смотрела на вошедшего. Сидела она, по-хозяйски закинув ногу на ногу, так, что юбочка задралась до самого бедра, и взгляд Карташа сам собой, без всякого приказа со стороны разума, остановился на полоске белой кожи там, где заканчивался черный чулок. Чулок был со «стрелкой».

Девица оглядела его с головы до ног откровенно бесстыжим взглядом и поставила диагноз:

– А ты ниче.

– Я-то ладно, а вот ты кто?.. – вырвалось у Алексея.

Признаться, прозвучало это в высшей степени глупо, но девица меньше всего походила что на зубодера, что на его ассистентку.

– Меня твой кореш пригласил, – был насмешливый, чуть хрипловатый ответ. – Загляни, говорит, к моему кенту, развесели его, как умеешь, – скучно, дескать, ему там париться...

«Ага...»

Она сдернула белое покрывало со столика с инструментами, и заместо инструментов на столике обнаружился недурственный для этих мест натюрморт: банка маринованных огурчиков, кусок буженины, хлеб, картошка-фри в красных бумажных пакетиках с желтой буквой «М», литровая бутылка водки «Гжелки», полуторалитровый тетрапак с апельсиновым соком «Нико» и два пластиковых стаканчика. Унылость зубодерного кабинета преобразилась в мгновенье ока.

Стаканчики девица незамедлительно наполнила и сказала:

– Не тушуйся, красавчик, все согласовано, куплено и оплачено.

Однако Карташ стоял неподвижно. Ощущение нереальности происходящего было таким сильным, что впору было ущипнуть себя и проснуться.

Но как проснуться от реальности?

Вдруг нахлынуло: *Маша...*

– Катя, – сказала девица. – Катя меня зовут. Ну что встал? Времени немного...

На ватных ногах он дошел до стульчика, сел.

Меньше всего сейчас – да и все последнее время – Карташ думал о сексе. Вообще не думал. Как-то, знаете ли, не до того было, но... Но вот тело его, здоровый, бляха-муха, мужской организм Алексея Карташа, как оказалось, придерживался иного мнения. Черт его разберет, почему так произошло, возможно, необходима было ему, организму, некая разрядка, возможно, мозг, наконец, устал бороться с действительностью и пришло время с ней, действительностью этой гребаной смириться.

«Опять не на кровати, – отчего-то подумалось Карташу. И еще – не он сам, а кто-то вовсе уж циничный – подумал в его голове: – А здесь жить оч-ченно даже можно. Но вот что за кореш у меня тут нашелся?..»

Любые сомнения, если таковые и были, относительно основной и, наверное, единственной профессии Кати, разумеется, рассеялись в первую же минуту. Как говорится, профессия у нее на лбу написана. Или на иной части тела. А тут еще Катя недвусмысленно выложила на край стола упаковку презервативов: мол, нечего тянуть вола за хвост, потянем-ка тебя за кой-что другое...

И он почувствовал вдруг, что хочет эту девчонку. Черт знает что! Нет, не пылает страстью, не вожделеет, а, япона мать, именно *хочет*. Тупо и примитивно. По-звериному... И даже не по-звериному, а... Как бы это объяснить... Хотел биксу не он сам, Алексей Карташ, – хотело то крохотное, неприметное существо, которое таится в каждом из нас, выглядывает на мир через наши глазницы и время от времени, произвольно, по собственной прихоти, берет управление на себя... Понимаете, о чем речь? Вот именно.

Какая бы там ошибка не произошла, кто бы чего не напутал – Карташа это мало касается. Дают – бери.

Его рука самостоятельно подняла стаканчик, соприкоснула его пластиковый бок с поднесенным девицей стаканчиком, и оприходовала в один залив. Потом тело Карташа закусило чем бог послал, а говоря конкретно – не пропустив ни одно из яств. Картошку – ту сразу смолотило подчистую. Так поступают животные, которые в вопросах выживания намного мудрее человеков: неизвестно, что будет завтра, поэтому надо набивать брюхо сколько туда влезет, а что не влезет – спрятать на черный день. Сам же Карташ наблюдал за собой словно бы со стороны, словно бы смотрел пошлый и неинтересный спектакль.

Слишком долго он не позволял себе смириться с мыслью, что Маши нет, вот в чем дело. И уже никогда ее не будет. Что отныне и навеки жизненный локомотив Алексея, по каким бы рельсам тот не покатился, будет лишен этого милого, взбалмошного и своевольного паровозного *тендера*.

Лав ми *тендер*, лав ми свит...

Машка... *Машка!*

Да нет ее больше, нету! И пора сей факт принять. Пора перешагнуть через прошлое. Переплыть через Стикс, попасть к другим берегам... к берегам *другой* жизни. *Жизнь*-то продолжается, а?!

Катя поставила свой, тоже опустошенный стаканчик на стол («А выпить она, чувствуется, не дура», – машинально отметил Карташ) и медленно расстегнула пуговичку на блузке, сопровождая сие действие призывными взглядами.

Водка, споро, как огонь по пороховой дорожке, бежавшая по телу, зажигала кровь жаром, выжигая напрочь иные мысли кроме одной-единственной, навеянной извечным мужским инстинктом. Ну и, опять же, нет никакой нужды поступать иначе как по-звериному – брать то, что можно взять.

Где-то в глубине сознания вдруг возникла мыслишка: а вот благородные киношные и книжные герои его бы не одобрили – как можно, когда едва неделя минула со дня гибели любимой женщины, предаваться мерзкому блуду с первой попавшейся биксой? Мыслишку Карташ отогнал. Не он отогнал – тот, *другой*... Наверное, благородные правы – по понятиям цивилизованного мира. А Карташа заставили покинуть цивилизованный мир, и теперь он вынужден приспосабливаться и жить по другим *понятиям*...

Карташ жестом показал Кате, чтобы переместилась к нему на колени – та с готовностью вскочила с кресла, обогнула стол, села, куда велели, жарко прильнула необычайно мягким, будто не из мышц и жира состоящем, а из перины, телом. Алексей, глядючи на себя со стороны, расстегнул на девушке блузку сверху донизу. Грудки открылись на обозрение отнюдь не бедственные, весьма даже аппетитные. Карташ умело лишил их лифчика.

– Как ты хочешь, милый? – страстно прошептала Катя, явно подражая героиням эротических кинофильмов.

От Кати пахло потом – не сильно, но пряно, то ли она не пользовалась дезодорантом, то ли дезик оказался слабее и сильно проигрывал естественному запаху. Однако почему-то именно этот аромат возбудил Карташа с неимоверной силой – как зверя запах течной самки.

Машка, Машенька...

Карташ ответил на ее вопрос действием – показал ей, как он хочет, как ему надо, чтобы отвяло, наконец, прошлое, чтобы не цеплялось мертвыми коготками за одежду. Он снял Катю со своих коленей, обнял за талию, легонько надавил и заставил опуститься рядом с ним на колени. Потом положил руку на затылок и пригнул коротко стриженую голову туда, где вздымалась брючная ткань.

Девица, кокетливо стрельнув снизу вверх глазами и подначивающе улыбнувшись, – дура, что она понимает? – умело принялась за дело. Освободила из плена рвущийся на волю мужской рабочий инструмент, немного потомила, поглаживая его пальчиками, но паузу дольше нужного не затянула – ну прям опытная мхатовская актриса. А потом приступила к основному номеру сольной программы: как говорили древние китайцы, к игре на бамбуковой флейте. Неизвестно, как там насчет остальной музыки, но эту партию девчонка вела виртуозно. Чувствовался немалый опыт выступлений.

Она не забывала постанывать, якобы изображая неподдельную страсть. Но, опять же, эта явная искусственность сегодня дополнительно возбуждала Карташа. Он ощутил, что еще миг, и взорвется изнутри. Чтобы взрыв вышел полнее, *динамитнее*, Карташ оттолкнул от себя девицу по имени Катя, встал и принялся торопливо снимать, а лучше сказать, срывать с нее одежду.

Катя, на лету ухватив перемену мизансцены, стала помогать ему, расстегивая и стягивая одежку. Сообразив, что от нее хотят дальше, она повернулась и легла животом на стол, между огурчиков и водкой.

Карташ подрагивающими от перевозбуждения руками разорвал упаковку и натянул на инструмент «резинку», потом навалился на девицу сзади, нетерпеливо вошел в нее и принялся охаживать ее сильными напористыми толчками, по-звериному, все-таки по-звериному, стремясь поскорее выбросить семя и ощутить легкость внизу живота, победное торжество самца, покрывшего очередную самку, и освобождение от навсегда ушедшего прошлого.

Кажется, и шлюшка Катька перестала притворяться – охала-стонала сейчас не по долгу службы, а по велению естества. Она почувствовала, что кода близится, это возбудило ее уж совсем нешуточным образом – она вдруг принялась отчаянно материться, ее ноготки заскребли по столешнице. На пол полетела буженина. Все это еще больше завело и без того заведенного Карташа.

Маша...

Закричали оба. Карташ с силой сжал ее бедра – будут у нее синяки от мужских пальцев. Катька выгнулась дугой и далеко запрокинула голову. И Карташ отвалился от нее без сил, опустошенный до донышка, выжатый, как канарейка из известного анекдота...

...Уложились минут за пятнадцать. Половину полуторалитрового сока Алексей выхлестал чуть ли не в один глоток. Потом откинулся в стоматологическом кресле и оставшуюся половину щедро, но аккуратно, не проливая, разбавил водкой. И почувствовал себя новым человеком.

– И? Как тебе? – спросил он расслабленно – а что еще можно спросить у шалавы после оплаченного акта?

Катерина, нимало наготы не стесняясь, тем временем еще хлебнула из стаканчика, закушала огурчиком и томно посмотрела на него:

— А ты не заметил? Раз пять обкончалась, не меньше... Ни с кем мне еще так хорошо не было...

— Ладно врать-то, — отмахнулся Карташ и глотнул прямо из пакета. Плевать, что запах конвоир учует – все вопросы к лепиле. — Ты лучше вот что... ты скажи, откуда ты тут взялась.

— Да как обычно, — пожала она голыми плечиками. – Твой приятель договорился с кем-то из цириков, цирик договорился с лепилой, потом попросил у начальника разрешения привести сюда свою подружку – мол, нельзя ли ей бесплатно клыки подровнять, потому как зарплата и у него, и у нее маленькая. Начальник дал добро – и че, и вот я здесь... Ну, не знаю, может, как-то иначе теперь все проворачивают, но я сюда как раз таким манером попала...

— Да я нс о том. Что за кореш-то мой?

— У тебя корешей здесь нет?

— Вся крытка мои кореша... Просто я думаю, который именно. Чтоб спасибо сказать...

— Э, нет, – хитро улыбнулась Катя. – Он сказал тебе не говорить, хоть пытай...

Час от часу не легче... И Алексей вдруг понял, что дачку с сигаретами и бутылочками прислал тот же самый таинственный благодетель, что и подложил под него Катю. И вот теперь задачка: благодетель ли он или очередной недруг, плетущий свою паутину...

— Но ты уверена, что никто ничего не перепутал и ты пришла именно ко мне?

— Я-то откуда знаю, — фыркнула шлюшка. — Мне заплатили, я и пришла — готовая, как пионерка... А что, не понравилось? Или уже устал?

Алексей тряхнул головой. Бывают случаи, когда много думать вредно для здоровья...

— Зэки не устают, — сказал он нравоучительно. — Зэки отдыхают. Иди-ка сюда.

В общем, он перешагнул границу, отбросил прошлое и вступил в настоящее. Трахнул — да, именно так, а как еще, господа пуритане, назвать сие действо?! — дешевую шалавку, отрекся от мертвых и вернулся в компанию активной, как говорил не самый плохой фантаст, протоплазмы...

И все повторилось — бедное кресло стонало и ходило ходуном под тяжестью двух неугомонных тел. И Карташ всерьез подозревал, что не они первые и не они последние, кто занимается здесь отнюдь не стоматологией.

В сорок минут они уложились.

Алексей уговорил конвоира за долю малую покурить на воздухе, потом зажевал это дело подушечкой «Орбита» и, к превеликому его счастью, когда он вернулся наконец в хату и без сил повалился на шконку, никто из доморощенных сыщиков не унюхал смешанного аромата выпивки и женщины, каждый занимался своими мелкими делами... И Алексей еще раз возблагодарил судьбу. Ведь в противном случае... Вот ведь блин! Он едва не подпрыгнул на шконке.

О чем в первую очередь должны были подумать соседушки по камере, если б поняли, что весь такой подставленный злыми зябами, совершенно одинокий в чужом холодном городе Карташ с насквозь дырявой историей, тем не менее уже получивший небедную передачу от таинственного «благодетеля», — получил теперь еще и сугубо мужское удовольствие? Причем совершенно бесплатно?!

Вот именно. В глазах сокамерников он бы стал не просто подсадкой. Он стал бы провокатором. А как везде и всегда поступали и поступают с провокаторами?..

Значит, это никакой не благодетель. Значит, Карташа и здесь, в «Крестах», пытаются достать, выбить почву из-под ног, лишить опоры... лишить всего, даже случайных приятелей — как лишили любимой женщины...

Глава 17

БА, ЗНАКОМЫЕ ВСЕ МОРДЫ...

– Не, ты че, пень, сёдня, нах, моя очередь на ночь откидываться, нах! – рявкает повсеместно синий от наколок урка с погонялом Коллаборационист и жестом фокусника извлекает из рукава заточку, за долгие прайм-таймовые вечера смастряченную из осколка трехлитровой банки, с обмотанной скотчем «рукоятью». Он здорово похож на Желудка из рекламы «Натс».

– Че, мля?! Сёдня вторник, мля, сёдня я к Люське самоволюсь, ты... это... козел, во! – рычит в ответ налысо бритый зэк по кликухе Дастинхоффман. А этот напоминает актера Юла Бриннера. – Я проплатил легавым, мля, Люська меня ждет у ворот, мля!

– Да я тя, нах, порежу, как шашлык! Нах!!!

Коллаборационист кидается на Дастинхоффмана, но тот не менее неуловимым жестом выхватывает из-за спины, как Завулон в известной киноподелке, вязальную спицу и встречает сокамерника во всеоружии...

Дальнейшее действие, под аккомпанемент «Владимирского централа», пущенного в ритме «сто двадцать ударов в минуту», скрывается заставкой – компьютерно нарисованной колючей проволокой и татуированным кулаком на фоне решетки. И хриплый закадровый голос бодро вещает:

– Удастся ли Дастинхоффману победить Коллаборациониста и выбраться за колючку «Крестов» на свидание с любимой лялькой? Встретятся ли Франчайзинг и Ласточка на территории женского отделения «Крестов»? Помешает ли злой опер Кудлатый отправке коллективной малявы на волю?.. Это и многое другое смотрите в реалити-шоу «Хата два: Отсидка» завтра на нашем канале в двадцать два ноль-ноль!

А женский голос развязно подхватывает:

– Внимание участников нашей СМС-викторины! Если вы желаете условно-досрочного освобождения участнику под номером один нашего шоу – осужденному Карташу, пошлите СМС с цифрой «один» на номер...

...Алексея разбудил лязг камерного замка. Еще не понимая, где он находится – во сне или уже наяву, Карташ подскочил на шконке и суматошно огляделся. В ушах стремительно удалялся, затихая, призрачный голос в соусе из Круговского ремикса: «...сообщения принимаются только от абонентов МТС!»

Карташ помотал головой. Ф-фу, елы-палы, ну и приснится же такое... Особливо ежели учесть, что женского отделения в «Крестах» нема.

Хата, как обычно, не спала, но теперь дверь была открыта, и на фоне тускло освещенного коридора маячила фигура прапора, молодого, совсем еще мальчишки.

– Карташ, бля, долго я орать должен?! – яростным шепотом гаркнул надзиратель. – Быром давай на выход!

Алексей скатился со шконки, ничего еще не понимая, натянул брюки, набросил пиджак, надел туфли.

Дюйм и Эдик в наглую резались в преферанс с «болваном», Квадрат, по причине неумения играть в столь мудреные игры, валялся на своем месте и делал вид, что спит.

– А что случилось-то, командир? – Карташ, наконец, окончательно выплыл из сновиденья. Но нельзя сказать, что действительность успокоила его и порадовала. Элемент шизы все еще продолжал иметь место.

– Болтать не будем, да? – повысил голос прапор. – «Че случилось, че случилось»... Вызывают тебя, вот что случилось... Готов? Пошли. Да вещи-то оставь, не на расстрел же ведут, чудак на букву «х». Приглашают на переговоры.

Господи, то не трогает никто, то отбоя нет...

Дюйм и Эдик проводили его заинтересованным взглядом. Из-под одеяла на шконке Квадрата блеснул любопытный глаз. В самом деле, интересно, куда это его? Ночные допросы вроде как запрещены действующим законодательством... Опять, что ли, по бабам?!

Они спустились этажом ниже, прошли мимо полусонного надзирателя, двинулись по галере – насколько уже мог ориентироваться Алексей, по северной. Карташ с почти мистическим трепетом прислушивался с несмолкаемому шороху вокруг. Звуки приглушенные, почти неразличимые, невнятные, но доносились они отовсюду – сверху, снизу, с боков, и он чувствовал себя чуть ли не Иовом в китовьем желудке.

«Кресты» *жили*. Как исполинский сонный дракон дышали, ворочались, бормотали что-то неразборчивое. Шаги Карташа и конвоира громко отдавалась в этом шуме.

– Куда хоть идем? – негромко спросил Алексей.

– А я что, знаю? – неприязненно ответил провожатый. Был он худым и веснушчатым – эдакий деревенский хлопец, волей службы дорвавшийся до должности «повелитель зэков». – Не мое дело. Мне приказали доставить, я и доставляю. Вместо того, чтобы спать, как все нормальные люди... Стой, пришли. Лицом к стене.

Остановились возле камеры в самом конце на втором этаже, провожатый отомкнул замок, небрежным кивком указал: «Заходи, мол, давай...»

В хате обитали двое. Один сидел на нижней шконке, второй стоял спиной к входу и о чем-то приглушенно разговаривал по мобильнику. При появлении гостя предостерегающе поднял указательный палец – дескать, погоди, сейчас закончу, – и сказал в микрофон:

– Дай-ка трубу этому деятелю...

По запаху ли, по ауре, а может, чутьем, появившимся за годы службы, или еще каким-нибудь там сорок восьмым чувством, но Карташ с порога понял: вот тут-то и сидят настоящие воры. Это вам не скучающие «красные», прикидывающиеся от безделья «уголками», это не мелкие бандюшата, возомнившие себя авторитетами после первой же отсидки.

Черт его знает, чем отличалась здешняя атмосфера. Вроде, все было чинно, спокойно и даже, в некотором роде, богато. В хате имелись: холодильник – «Стинол» в полтора человеческих роста, телевизор – «Сони Тринитрон», масляный обогреватель и кофеварка «Мелисса», – и, наверняка, еще много чего в смысле комфорта, просто Карташ не стал озираться, сосредоточил внимание на обитателях.

В камере отчетливо пахло силой, уверенностью и неколебимым спокойствием людей, которые повидали все на свете, прошли через все на свете и могут, не изменившись в лице, вставить тебе нож в сердце, буде увидят в этом такую необходимость.

– Привет, начальник. Заходи, присаживайся, где больше нравится. Гостем будешь, – вполне мирно сказал один из камерников, со шконки не вставая.

– Спасибо, и вам здорово, – осторожно ответил Алексей, приглядываясь. – Я тебя не знаю...

– А ты не ко мне в гости пришел, – ощерился тот – лет пятидесяти, похожий на морского волка из советских фильмов: сухой и жилистый, загорелый на зоновском солнце так, что не отмыть, просушенный всеми ветрами.

– Слышь, братан, – говорил в трубку его сосед таким сладким голосом, что хотелось немедля упасть на колени и просить прощения, – ты, конечно, охренительный борец за права заключенных, и че я тебя упрашивать буду, как девочку... Но только вот что я скажу: тех, кто объявляет голодовку, здесь кормят принудительно... Чего?.. А вот правила такие! И знаешь, что означает «принудительно»? А это означает, что к тебе приходят несколько лбов из цириков, приматывают тебя к шконкс, потом вставляют в пасть резиновый шланг и заливают в глотку питательный раствор... *Питательный*, бля, ты глухой, что ли?! Насильно заливают, по самые гланды. Так ты и будешь питаться, это я тебе обещаю. Улавливаешь суть?.. Ага, вот именно... Так что думай, сокол, думай, имеет ли смысл и дальше выеживаться со своими предъявами... А теперь трубку обратно оперу передай-ка...

– Да присаживайся ты, не маячь, – сказал «морской волк» Алексею, откинулся навзничь, повернул голову к окну: – Эй, Пастор, заманал уже. Харе треньдеть, чифирь стынет, да и к тебе люди пришли.

Карташ пожал плечами и сел на не застеленную шконку – явно необитаемую.

Тот, что стоял у окна, наконец с треском сложил трубку-раскладушку, сказавши под нос: «Ну не мудаки, а?..», – обернулся и подмигнул Алексею. И Алексей мигом узнал его – бледнолицего и беловолосого парня, который разглядывал его еще в «автозаке». Как его там назвал усатый встречающий... Родион Крикунов, во как.

Так, стоп. А этот «морской волк» что сказал? Пастор?

Пастор, Пастор, Пастор...

Да и погоняло знакомое, а не только рожа... Вот только где они могли встречаться?..

– Извини, начальник, – улыбнулся бледнокожий. – Дела, понимаешь...

– Мы ведь знакомы, да? – напрямик спросил Алексей.

– Я вот тут, пока на воле гулял, частокол себе подправил, – улыбнулся тот еще шире, во все шестьдесят четыре, как у кашалота, белоснежных зуба. – Ничего, а? А то те, старые, сгнили почти все под корень, на кичах-то...

Карташ прищурился. Маму вашу, как же он сразу не вспомнил! Чистая кожа, неплохой стильный костюмчик, правда, без галстука; светлые, почти как у альбиноса, волосы пострижены под «короткое карэ» – в жизни не скажешь, что перед тобой один из не самых последних авторитетов нонешней криминальной Расеи. Скорее подумаешь, что это директор банка или барыга из нефтяной шарашки, поднявшийся на плесени комсоргов районного масштаба. Но... остриги орла под ноль, замени зубы на черные обрубки, торчащие из кровоточащих десен, одень в зэковскую робу – и, повстречав такого даже в дневное время суток на людном проспекте, простой гражданин поспешит перейти на другую сторону улицы. Чтоб, значит, от греха подальше...

– Япона мать, – облегченно выдохнул Карташ. – Пастор!

Нет, ну елки-метелки! Дряхлеете, старший лейтенант. Собственный контингент можно было бы и запомнить...

– Ага, узнал, начальник, – довольно хмыкнул «уголок».

Удивительно все ж таки устроена человеческая психика. Алексей вдруг почувствовал, что почти рад встрече с вором, хотя они, естественно, в корешах не ходили (какая дружба может быть между вертухаем и контингентом!), да и пересекались раза четыре-то всего... Но увидеть знакомую рожу в чужом городе, да еще оказавшись по одну сторону решетки, было отчего-то приятно. Тем паче, что Пастор был, что называется, без подлянки в голове и по-своему щепетилен в вопросах воровской чести.

– Тебя сейчас узнаешь... – сказал Алексей. И спросил: – Частокол, что ли, у местного зубодера вставлял?

Без всякой задней мысли спросил, честное слово, по ассоциации, просто при упоминании о зубах вспомнился ему собственный опыт в изучении местной разновидности стоматологии – приятный во всех отношениях, но Пастор разинул пасть от удивления:

– Э, ты че, сам допер, что ль, насчет биксы? Или проболтался кто? Язык ведь вырву, уроду...

Теперь настала очередь Карташу удивляться. Вида он, разумеется, не подал, сохранил лицо, но в голове скоренько зашевелились извилины, отвечающие за причинно-следственные связи. Ах, вот в чем дело! Ну, Пастор, ну, благодетель фигов. Значит, и шлюшку Катерину, и дачку он заслал?.. Значит, не было никакой злой силы, пыжащейся окончательно испоганить и без того несахарную жизнь старлея...

– Ясный перец, сам, – важно соврал Алексей. – Я тебя еще там, в «автозаке», срисовал – погоняло только вот запамятовал, – ну и сделал оргвыводы: кто ж еще мне такой подарочек *здесь* сделает... А за ту дачку и за Катерину – спасибо.

– Водки нема, – сказал Пастор, – не употребляю. А вот чифирек или кофеек... пожалуйста.

Карташ ухмыльнулся, оценив. Хитрый, гад. Поди угадай, что означает это его «пожалуйста» – то ли это ответ на «спасибо» (что невозможно, поскольку получается, что вор оказал услугу вертухаю), то ли предложение испить кофею (что невозможно по той же причине), то ли еще что. Вот и думай, что он имел в виду...

...Познакомились они в приснопамятном ИТУ номер *** под Пармой. Ну, не познакомились, конечно, – знакомство подразумевает общение, общие какие-то интересы, более-менее взаимопонимание. А тут... Просто получилось так, что тамошние опера по каким-то своим причинам решили вербануть Пастора. Пастор сам, конечно, был виноват – на контакт с вербачами пошел охотно, недвусмысленно давал понять, что ради пользы дела готов постучать на корешей, потом начинал юлить, набивать цену, за любую информацию требовал вовсе уж немыслимые блага... Естественно, стучать он и не собирался, врал, мерзавец: шутил он так от нечего делать, играл, понимаешь, в кошки-мышки с операми. А когда до тех, наконец, доперло, что их просто-напросто водят за нос, как представили они, что вечерами сидит Пастор эдаким князем, хитрозадым, блин, Штирлицем на нарах и рассказывает в лицах, как тупые мюллеры губищу раскатали на его счет, а кореша-зэки со смеху покатываются, то поначалу взбеленились опера страшно. А потом подуспокоились: сами ведь дурака сваляли. Но обидку затаили.

И вскоре представилась им возможность отыграться.

Приехала в Парму на свидание к Пастору невеста. Всамделишная. Поначалу никто, разумеется, не верил, и Карташ в том числе, что законный вор любовь имеет на воле – думали, что обыкновенная шалавка в гости пожаловала... однако ж нет. Времена, когда по понятиям правильному вору западло было иметь работу, собственность и семью, давно канули, и ничто человеческое оказалось Пастору не чуждо. Карташ видел мельком невестушку у КПП – очаровательное создание лет двадцати, не больше, огромные заплаканные глазищи, полные, припухшие от слез губы... Пес разберет этих баб, что такая ласточка могла найти в уголовном до мозга костей Пасторе, но любовь у них была настоящая и крепкая, видно было невооруженным глазом... Что ж, случается и не такое.

Вот тут-то и решили опера припомнить кошке мышкины слезы. Не мудрствуя лукаво, взяли да и запретили им свиданку. Под предлогом плохого поведения зэка Крикунова, не совместимого с гордым званием уголовника-рецидивиста.

Зэк Крикунов, в просторечии Пастор, и в самом деле повел себя неправильно, сам потом признал: он рвал и метал, умолял и угрожал – в общем, башню сорвало парню капитально... но единственное, чего он добился, это вывихнутое плечо и трое суток карцера. Не помогли ни посулы, ни авторитет. И, наверное, правы были *ранешние* воры, запрещавшие друг дружке заводить семью и надевать прочие оковы быта, – вот видите, ребята, во что любовь превращает хорошего человека. А мстительные опера потирали ручонки.

Собственно, пособил несчастному влюбленному вору Карташ. Кое с кем договорился, кое-кому проплатил толику малую, кому-то кое о чем напомнил, и в результате его стараниями Пастор таки был уединен с зазнобой на пару дней в пустующей избушке и под охраной двух расконвоированных со стволами – на всякий случай, чтоб в рывок не ушел.

Только не думайте, что Алексей помог ему из самаритянства и врожденного гуманизма – делать ему больше нечего было, кроме как восстанавливать справедливость между уголовниками и операми. Ни фига подобного, он имел на Пастора свои виды: в обмен на благодеяние Карташ собирался получить у вора кое-какие подробности касательно канала, по которому на зону поступает наркота. И надеялся, что Пастор не сочтет это крысятничеством, информашкой поделиться, потому как, во-первых, знает, что дальше Алексея сведения не пойдут, Алексей не гнида какая-нибудь, а просто делает свой маленький бизнес, а во-вторых, для Пастора звонок должен был прозвенеть где-то через месяц, и плевать ему уже было на все тайны и секреты...

Но вот не срослось. С тех пор Карташ Пастора не видел. Когда растрепанная после бурных дней и бессонных ночей невестушка уехала, на горизонте возникла Маша, а потом началась заварушка с бунтом Пугача – в общем, не до того стало.

Глава 18

ЧИСТИЛИЩЕ

– Знаешь, начальник, – раздумчиво сказал Пастор, прихлебывая чифирек, – а ведь тебя мне сам Бог сейчас послал, – и он мелко перекрестился.

А, ну да, вспомнил Алексей, он же еще и верующий, причем всерьез. Причем православный, хоть и носит погремуху насквозь католическую. Причем совершенно непонятно, как в одном теле уживаются вор и христианин, который, по идее, должен чтить заповеди.

– За мной ведь должок остался, помнишь? Честно скажу: хрен бы мы со Юльчонком поженились, если б ты тогда не устроил нам свиданку. Уехала бы она необласканная, обиженная, и поминай как звали. Так что, с какой стороны ни посмотри, а я тебе должен, начальник... Хорошо, что свиделись, не люблю быть должным, тем более вертухаю...

Мобила тоненько заиграла «Вихри враждебные», Пастор посмотрел на экранчик, поморщился, дал отбой, не ответив. И вздохнул:

– Поверишь ли, лет двенадцать назад я единственный был в «Крестах», у кого телик на хате имелся. А теперь ты посмотри, что делается, а? Разве что личной сауны в каждой камере не понастроено. И все равно ведь звонят, черти, без продыху – Пастор, тут помоги, Пастор, там разрули, здесь реши вопрос...

Карташ вспомнил, с какими предосторожностями пользовались «трубой» его соседи по камере, и сказал задумчиво, дуя на кофе:

— А телефон у тебя не отбирают, потому что ты за него платишь...

— Я? – искренне удивился Пастор. – Еще не хватало. Я ж тебе сказал: я по «трубе» некоторые вопросы решаю...

— Местным операм помогаешь, – поддакнул Алексей... и прикусил язык.

Пастор запнулся, молча допил чифирь и сказал таким спокойным тоном, что Алексею стало неуютно:

— Я себе помогаю, запомни. И своим коршам, которые тут парятся, помогаю. И тебе помогаю, потому что за мной должок. А опера... – Он посмотрел на Карташа сквозь мутное дно стакана: – Что такое «симбиоз», знаешь?

— Да вроде образованный... – осторожно сказал Карташ. И подумал: «А вот ты где таких слов нахватался...»

— Тут то же самое. «Кресты», начальник, это один большой симбиоз, где хошь ни хошь, а все должны жить мирно. Чтобы жить хорошо. Например, вон Палец, – он кивнул на сокамерника, который уже мирно кемарил на шконке, – собирается кондиционер здесь поставить. На хрена ему кондиционер, он и сам не знает, но хочет...

— Чтоб воздух был свежий, – пробормотал Палец, не открывая глаз. – Как на воле.

— ...а цирики хотят денег заработать, – не слушая, продолжал Пастор, – зарплата у них маленькая. Ну и неужели они не договорятся?.. Или вот, скажем, болтали, сидел здесь один депутат годика два назад. Что-то у него в организме разладилось, и определили его в медчасть. А он на палату посмотрел, ужаснулся и говорит: «Люди, давайте я бабла дам, стройматериалы подгоню, только приведите это дело хотя бы в европейский вид...» А ему: «Не, так не пойдет, слишком жирно. А давай-ка ты заодно ремонт и пары соседних палат обеспечишь?» Ну, у депутата денег немерено, он и обеспечил. И все довольны... Довольны все, ты понял? Вот и я делаю так, чтобы все были довольны.

— Н-да, все должны быть довольны, это я уже понимать начал, — честно признался Карташ. Правды ради следует сказать, что и на зоне, насколько знал Алексей, Пастор запутанные ситуации старался по-соломоновски разрулить так, чтобы никто из невиновных не был ущемлен. — И вроде логично все, но как-то все равно... шиза какая-то. Непривычно. На киче ведь по-другому...

— Да точно так же на киче, начальник! — рявкнул Пастор. Сосед по кликухе Палец заворочался, прошамкал во сне что-то невнятное, и Пастор понизил голос: — Только не так заметно, потому что там границы не такие четкие. Там промзона есть, простор, деревни какие-никакие вокруг, небо над головой, воздух свежий, там ваш брат свободно входит-выходит... Там ваш брат — враг номер один. Не прокурор со следаком, которые меня закрыли, а именно ты — потому что у прокурора работа такая, людей сажать, а ты меня на зоне гнобишь, хотя я лично тебе ничего плохого не сделал. Помнишь тех оперов, которые мне свиданку не давали?.. То-то. А здесь мы как на острове. В Питере есть Крестовский остров, а мы, понимаешь, на другом, на *Крестовом* острове. Податься некуда, кругом вода, вот и варимся в одной баланде — и те, кто сидит, и те, кто сторожит. Вместе в четырех стенах жить приходится. И каждый хочет жить лучше...

– И что, получается?

– Ну, бывают заморочки, конечно. Человек – тварь хоть и коллективная, но к агрессии склонная, особливо ежели в тех самых постылых четырех стенах пребывает. Но в основном молодняк беснуется, да первоходки... А люди умные стараются.

– И все равно. Не тюрьма, а райский уголок прямтаки: вор с цириком аки волк с агнцем...

– Не райский! – перебил Пастор. – Не райский... Если хочешь знать, начальник, – здесь *чистилище*. А уж отсюда каждый отправляется туда, куда ему уготовано: либо в рай, либо в ад... по делам его воздается.

Карташ искоса посмотрел на вора – не шутит ли? Ничего подобного: Пастор был предельно серьезен. «Е-мое, – подумал Алексей, – да вы, батенька, ко всему прочему, оказывается, еще и философ, если не сказать сектант...»

Вновь патриотически запиликал мобильник. Философ витиевато выматерился, вообще выключил телефон и швырнул на шконку. Встал, прошелся туда-сюда, объявил:

– Все, у меня выходной.

– Ну-ну. Значит, воля это рай, а зона – ад? – вернулся к теме Карташ. Ему и впрямь интересно было. Евангелие от вора – это ж надо ж...

– А вот хер, – ответил Пастор. – Для каждого свой удел положен. Вот мне, к примеру, на воле тошно. Рожи вокруг сволочные, люди все суки, законы эти ваши ублюдские... А на киче я свой, понимаешь? Там меня уважают, там понятия правильные, там *свобода*. И если б не Юльчонок.. А для какого-нибудь очкарика-интеллигентика, наоборот, зона – ад кромешный. На зоне он не выживет, не переломит себя под другие правила – и вымрет, как мамонт в ледниковый период...

«Эвона как разошелся, – мельком отметил Алексей. – Сам себя убеждает, что ли? Потому что и образование у него наверняка верхнее, и поговорить на умные темы хочется – а не с кем... Вот тебе и рай...»

Пастор будто прочитал его мысли: осекся, помрачнел.

– Все, короче. Достало языком чесать. Чего я тебя звал-то, чего хотел сказать... За что тебя закрыли, не спрашиваю, не мое это дело. И корешами мы не будем, даже если ты перекрасился. «Вован», он по жизни «вован». Но. Я тебе все еще должен. Дачка и бабенка были так, авансом. И если тебе не западло просить вора о помощи, обращайся. Пока ты здесь, помогу. А уж дальше...

Он умолк.

Алексей тоже молчал, размышляя. Связываться с уркой, пусть трижды честным и благородным, было себе дороже. Урка, он по жизни урка. Симбиоз симбиозом, однако... Согласишься, а потом он скажет: «Я тебе помог – теперь *ты* мне должен». Или еще что-нибудь выдумает. «Не верь, не бойся, не проси», – золотые слова...

«А вот интересно, как ты тогда под Пармой уцелел? – невпопад подумал Карташ. – Хотя... Ты ж непьющий, значит, пойло Пугачевское на тебя не подействовало. И до откидки тебе всего месяц оставался – забился в какую-нибудь щель, а когда все утихло, выполз и сдался, весь такой белый, пушистый и кругом невиноватый...»

Блин, но не отказываться же, если предлагают! Тем более, *здесь*...

– Спасибо, Пастор, – сказал он, взвешивая каждое слово. – Если я буду нуждаться в помощи, я обращусь к тебе.

– Пока ты сидишь в «Крестах».

– Пока я сижу в «Крестах». И это будет означать, что ты просто отдаешь мне долг, который сам определил, не больше.

– Правильно. И все. Не смею задерживать, гражданин начальник.

...Обратно Карташа вел тот же неулыбчивый прапор-юнец, и уже в родной галере Алексей получил еще одно, совсем уж сюрреалистическое подтверждение тезиса насчет «всем должно быть хорошо». Возле чьей-то камеры, упершись рогом в стену, покачивался в дымину бухой сиделец. Ничего вокруг не видя, не слыша и не замечая. По возрасту и по виду судя – мелкий баклан.

Прапор на мгновенье сбился с шага, засопел шумно, потом выдохнул сквозь зубы, обращаясь к Алексею:

– Мимо проходи, ну! Ничего интересного...

«Ага, ага, – вяло подумал Алексей. – Ну, наклюкался юноша, ну и что? Значит, кто-то из цириков раздобыл ему пузырь. Договорились, значит. И не его, цирика, вина, что контингент не рассчитал свои силы. Хоть не блюет, песни не горланит, безобразие не нарушает, и на том спасибо. А если сейчас шум поднять – цирику надают по фуражке. Кому это надо? Никому. Все должны быть довольны, и пусть никто не сидит обиженный...»

Ему показалось, что он еще не проснулся и продолжает смотреть сон про реалити-шоу «Отсидка».

И они прошли мимо.

Не краем глаза, не чутьем даже, а вообще непонятно как, но Карташ ощутил за спиной шевеление. Неслышное движение ощутил.

И резко обернулся.

Баклан уже не упирался лбом в стену. Баклан быстрой танцующей походкой уже приближался к ним сзади, отведя далеко в сторону ручонку с зажатой в ней заточкой. Он действительно был то ли пьян, то ли укурен, но что собирается делать сознавал вполне. И до обморока сам боялся.

На миг Карташ замешкался в недоумении. Едва заметив опасность, он решил почему-то, что атака направлено против него... Ничего подобного: взгляд вытаращенных от ужаса глаз был направлен на прапора. А прапор, увалень неуклюжий, только-только начинает поворачиваться...

Ну, справиться с обдолбанным типом труда не составило никакого, даже неинтересно. Даже бить не понадобилось. Шаг вперед, перехватить худую граблю с заточкой, быстрая подсечка – и несостоявшийся киллер, как мешок с картошкой, обваливается на пол. Лег, сучара, и больше не жужжал, лишь лупал глазенками с расширенными во всю роговицу зрачками и дрожал слюнявыми губами – в ожидании последнего удара.

– Ты кто такой, выкидыш? – наклонился над ним Карташ, отфутболив заточку к стене.

– Твою мать! – страшным шепотом заорал прапор, Алексей испугался, как бы тот прямо сейчас не бухнулся рядом с бакланом в обморок. Поди объясняй потом, что ты не верблюд, а вовсе даже случайный прохожий. – Это кто такой?..

Карташ выпрямился, посмотрел вдоль галеры. Плексигласовая будка, откуда должен сечь поляну всю дежурный лейтеха, была пуста. Ну правильно, зачем. В Багдаде и без него все спокойно...

— Я не хотел, — прохныкал баклан. — Меня заставили... Иначе, пригрозили, опустят...

Как выяснилось, был и пьян, и обдолбан одновременно. А весело тут в «Крестах» люди живут...

— Это ж ЧП! — допер наконец прапор, метнулся было назад, за подмогой, передумал, мстительно, но несильно пнул мыском сапога баклана под ребра и гаркнул:

— Камера?!

Баклан зажмурился, прикрыл пах ладошками и с трудом выдавил номер хаты. Оказалось, обитал он в соседней галере.

— Кто такой? Где нажрался? Откуда заточка? — каждый вопрос прапор сопровождал тычком сапога по ребрам.

Звался баклан Бубырем, водкой с таблетками каждую неделю надиралась вся хата, откуда и кто проносил, он не знает. А прапора Бубырь проиграл в карты некоему Борзому, который хату держит...

Карташу очень быстро стало скучно, и он отвернулся. Это уже была даже не шиза, окружающий мир быстро превращался в форменный фарс.

Прапор выпрямился, посмотрел в глаза Алексею.

— Спасибо, мужик, — сказал он. — Если б не ты... Я напишу рапорт, тебе послабуха какая-нибудь будет... Ну, бля, вычислю того гада, который им бухло проносит — угандошу...

— Эт-то правильно. Тебя как зовут?

— Прапорщик Евстигнеев.

— «Евстигнеев»... — передразнил Алексей. — Зовут, спрашиваю, как?

— Владимир...

— Делаем так, Володенька, — сказал Карташ, неожиданно вспомнив Пастора. — Отводишь меня обратно, а потом быром вызываешь своих и докладываешь, что придурка этого сам повязал, когда шел обратно. На фига мне популярность дешевая...

«Зато ты мне теперь должен будешь», — добавил он мысленно.

Просчитывать поступки на несколько ходов вперед Володя не умел и поэтому с радостью согласился.

На том и порешили.

Хата Алексея все еще не спала. Более того, соседи Карташа ждали с нетерпением.

Оказывается, пока Карташ вел философские беседы с Пастором, они, наплевав, что ночь, сделали пару-тройку телефонных звонков. И были новости.

— Короче, так, — азартно начал Эдик. — Повезло. Самому не верится, не бывает таких чудес... В общем, мой оперок нашел-таки чужую машину, которая ждала во дворике. И есть у нас две новости, хорошая и плохая. С какой начинать?

— Ну давай с хорошей...

— И мы теперь знаем ее номер. Опер отыскал одного мужичка-автолюбителя из того двора, и мужичок сообщил кое-что любопытное.

Автолюбитель любил не только свою ржавую копейку, но и пиво. С очередной дружеской засидки он как и возвращался домой той ночью, разумеется, пешком. Точно указать время он не смог по вполне понятным причинам, но примерно это было между двумя и тремя часами. И действительно наличествовал во дворе посторонний автомобиль – помимо обычного набора дворовых тачек. А на тачку он обратил внимание потому, что новенькая, с иголочки «девятка» темно-вишневого цвета перегораживала выезд из двора. Мотор работал, из выхлопной трубы вился дымок, Внутри сидел человек, этот пивной ковбой засек огонек сигаретки...

Если б мужичок сегодня не пил пива, он бы прошел мимо и ничего не заметил. Ну, подумаешь, поставили ребята тачку плохо – может, ждут кого-то, скоро уедут. Но он был во хмелю и на взводе. А на взводе он был по причине ожидающегося скандала с супругой, которая страсть как не любила эти мужнины посиделки с друзьями, и в его пролетарском разуме вспыхнула классовая ненависть – в общем-то, необоснованная: распоясались, понимаешь, новорусские сволочи, совсем совесть потеряли, понапокупали дорогих машин на ворованные у народа деньги и даже припарковаться правильно не могут, хозяева жизни!

Поначалу он решил постучать в окно и высказать водиле все, что по этому поводу думает, однако инстинкт самосохранения остановил его. Мало ли какой амбал за рулем. Поэтому мужичок ограничился тем, что запомнил номер и, полный мрачной решимости завтра же позвонить в ментовку, отправился на растерзание жены.

На утро, разумеется, желание звонить пропало, однако, как это ни удивительно, номер не забылся – исключительно потому, что его цифры по воле случая совпадали с первыми тремя цифрами мужичкового телефона, а буквы были насквозь патриотическими: «у», «р» и «а». Полагая, что Эдиков опер непременно разберется с нуворишами, он с радостью все ему и выложил.

– И почему ты думаешь, что это *наша* машина? – спросил Карташ.

– А потому что есть еще и плохая новость, – ответил Эдик.

– Я пробил этот номер, через своих пацанов, – добавил Квадрат.

– И?

– Такого буквенно-циферного сочетания нету. Тачка нигде не зарегистрирована и, стало быть, в природе не существует. Тупик.

– Номер питерский? – быстро спросил Алексей.

– Ну. «Семьдесят восьмой» регион.

Помолчали.

– Мужик мог и перепутать спьяну, – пробормотал Карташ.

– Мог, – согласился Эдик. И очень серьезно добавил: – Но мне почему-то все это уже перестало нравится. Прямо сейчас. И ты мне не нравишься, Карташ. Что-то ты темнишь. Или недоговариваешь. Или просто врешь. От тебя федералами за версту воняет.

Смотрели на Карташа угрюмо, но, в общем-то, без агрессии. И на том спасибо...

– Вам решать, мужики, – медленно, тщательно подбирая слова, произнес Алексей. – Скажу только одно, а верить или не верить – это ваше дело. Я не подсадка. Я именно тот, за кого себя выдаю. Не шпион, не террорист, не агент ФСБ. И сижу здесь за то, что произошло в отеле.

– Почему тебя не вызывает ни следователь, ни адвокат? – спросил Эдик в лоб, как на допросе.

— Не знаю.

— Почему тебя не вызывают на опознание, не предъявляют обвинение, не везут на очную какую-нибудь ставку?

— А почему ты спрашиваешь у меня? — Карташ почувствовал глухое раздражение. — Понятия не имею! И не хочу иметь!

— Ладно, допустим. Кто тебе принес дачку?

Да, это был вполне законный вопрос. Алексей поразмыслил малость, закурил и рассказал им о Пасторе. Помялся, и вдобавок выложил историю со шлюшкой Катериной.

— Везучий ты парень, как я погляжу, — хмыкнул Квадрат. — А с корешами поделиться?

— Хорошо. В смысле не «зашибись», а в смысле «ладно», — вынужден был согласиться с Алексеем Эдик. Напряжение в хате постепенно рассеивалось. — Я проверю. Очень странно все это. И если ты мне врешь, — улыбнулся он, — я тебя в грунт закатаю. Лично тебя. Найду и закопаю, ясно?

Алексей промолчал. Ввязываться в ссору не хотелось напрочь, хотя Эдик определенно хамил. Но, если вдуматься, опер был кругом прав.

— Ну, а теперь, — заговорил хранивший гробовое молчание Дюйм, когда вы наконец закончили, позвольте старику скромно влезть в базар? Я тут покумекал на досуге... Эдик, ты говорил... вернее, тебе твой опер докладывал, что нескольких человек из гостиничной смены ему пришлось навещать по адресам. Так?

— Двоих, — зевнул Эдик.

— Значит, остальная смена была на месте, так?

— Так, так. И что с того?

– А эти двое чего дома торчали? Обычно заступают на дежурство одной и той сменой. Если кого-то на смене нет, то этот «кто-то» заболел, прогуливает или подменился. Так оно обычно бывает.

Эдик сел на шконку, призадумался:

– Например, до этого выходил не в свою смену, а теперь выходит вновь в свою.

– Во-от, – удовлетворенно протянул Дюйм. – Вот к чему я. А я ведь тогда еще почувствовал какую-то занозу в черепушке. Только не мог сообразить, в чем тут хрень. Просто понимал: нестыковочка... Вот что значит интуиция!

Дюйм сбоку хлопнул Эдика по плечу, от чего того чуть не завалило на шконку.

– Охренел, старый?

– Могут судьи продажные еще кое-что, а!

– Только с задержкой.

– А ты вообще мимо факта проехал. Вместе со своим чудо-опером.

– А чего ты себя пяткой в мантию колотишь? – раздраженно спросил Эдик. – Ну подумаешь, кто-то не в своей смене. Это еще ни о чем не говорит. – Он вдруг примолк. – Хотя... Если тот марамой, что не пришелся моему оперку, еще и не в свою смену выходил...

– Во-во, – кивнул Дюйм, – тогда, можно сказать, он сам просится, чтоб его взяли в разработку...

Глава 19

НАБРОСКИ С НАТУРЫ

...Николай Ляпунов, начальник службы безопасности казино, в котором помощник Гаркалова Леонид Шилов встречался с каким-то типом, не знал, что со всем этим делать. Его любопытство... или это называется как-то по-другому? Неважно. Важно, что его стихийная реакция на появление в казино старого знакомца Шилова принесла результаты. Его парни сели на хвост Шилову и поводили по городу. Первый день из интересного и полезного принес лишь адрес проживания спутника Шилова, некоего Захарченко, капитана ВВ, служащего в «Крестах», и адрес, по которому обосновался в городе на Неве сам Шилов. Обосновался сей непростой господин, прямо сказать, в берлоге, категорически не подходящей его социальному статусу – в однокомнатной хибаре в многоквартирном доме на южной окраине города. Во всяком случае, теперь было ясно, откуда его можно было *подхватить* на следующий день.

Ладно, один раз послать парней за кем-то можно было без объяснений, но чтобы продолжать слежку, да еще задействовать при этом технику нужно было или получить на это благословение начальства, или обратиться к парням с личной просьбой. И хотя парни выполнили бы его *личную* просьбу, но Ляпунов все же избрал путь номер один. В казино ему доверяли, он не раз доказывал свое полное служебное соответствие, несколько раз выполнял поручения начальства, скажем так, напрямую не связанные с непосредственными обязанностями, да и поручения были весьма щекотливого свойства... Короче говоря, как он и просчитал, вполне довольно оказалось его слов, что вокруг казино затевается нехорошая возня и посему он просит санкцию на людей и технику. Конечно, это всего лишь подозрения, вполне вероятно, что они беспочвенны, по лучше перебдить, чем недобдить, не правда ли? Подробных объяснений от него никто не потребовал, поступай, мол, как считаешь нужным. Лишь бы казино стояло незыблемо, да бабло капало не переставая.

И вот пошли результаты. Его парни зафиксировали встречу с неким человеком, чуть позже идентифицированным как Карновский Георгий Валентинович, владелец трех автосалонов. Парни правильно разделились – один пошел за Шиловым (в прямом смысле пошел, так как москвич пошлепал в сторону метро), другой прилепился к Карновскому. Первый потерял Шилова в метрополитеновской толчее – черт его знает, может, случайно потерял, а может, Шилов почувствовал опасность. Или просто подстраховался по старой привычке. Однако что он делал весь остаток дня осталось неизвестным.

Зато известно, что господин Карновский из города отправился в свой коттедж на берегу Финского залива, куда к нему вскоре приехали еще двое. Ляпунов располагал номерами машин и описанием внешности гостей Карновского – при желании можно легко установить и их личности.

Между прочим, засовывать «жучков» в одежду Шилова или ставить их в квартире в отсутствие хозяина не стали – Ляпунов не сомневался, что Шилов проверяется на этот счет. А вот «писать» его разговорчики на расстоянии ничего не мешает.

И на следующий день был записан разговор Шилова с Захарченко, состоявшийся еще в одной халупе – в «кировке», находящейся в одном из самых вонючих районов города. «Ага, – злорадно думал Ляпунов, в первый раз прослушивая сделанную его парнями запись, – это тебе не московский офис, тут глушилок на окнах не стоит...» Когда пленка закончилась, у Ляпунова наконец-то появилась некая ясность относительно визита Шилова в Петербург. В том, что передачка для какого-то Карташа не простая, он не сомневался. Не тот человек Леня Шилов, чтобы сапоги лизать какому-то вертухаю ради посылки для дружка.

Значит, в ней, в посылке этой, есть какая хитрость. Может, запрятанный ствол, может, наркота или что-нибудь для побега. А у Ляпунова есть запись. И теперь осталось лишь придумать, как бы эту пленочку использовать с наибольшей для себя пользой.

И таковая польза была: осточертело Ляпунову чалиться начальником охраны вшивого казино, душа просила большего, и этого большего он не просто желал: он это заслуживал.

...Ситуация нравилась Шилову все меньше и меньше. То ли он просмотрел нечто важное в досье на подследственного Карташа А. А., то ли люди, занимавшиеся сбором информации о нем, упустили какие-то детали из его биографии, то ли сам подследственный был, мягко говоря, не совсем тем человеком, за которого себя выдавал, то ли еще что-то. Начать с того, что Шилову, при всех его связях, так и не удавлось отыскать следователя, который занимается делом Карташа. Никто ничего не знал – ни у убойников, ни в РУБОПе не было данных о ходе следствия. Да, Карташ сидит в «Крестах», да, следствие идет, но кто им занимается... а хрен его знает, мы не в курсе. Это еще можно было списать на обычное ментовское раздолбайство, однако Шилов знал доподлинно, что клиента не возят на следственные эксперименты, не устраивают очных ставок, вообще не проводят никакие необходимые процедуры. Создавалось полное впечатление, что Карташа просто сунули в камеру и благополучно о нем забыли. Возможно, дело было тихонько отобрано у ментов федералами (а уж те темнилы известные), но тогда почему он сидит в «Крестах», а не в фээсбэшной тюрьме? Или все дело в личности убитого Димочки?

Разбираться во всех непонятках у Шилова не было времени, да и, признаться, особого желания. Гаркалов-старший звонил несколько раз на дню, и тон, которым шеф задавал один и тот же вопрос – как продвигается выполнение задания – становился все более холодным.

А что Шилов мог поделать? «Кресты» ведь не охраняемый коттедж олигарха, в который проникнуть можно с легкостью необычайной – были бы средства и опыт, – и не Госдума, куда вовсе необязательно проникать, а достаточно дождаться заказанного чиновника в любой удобной точке на его пути следования. Да и кто такой этот Карташ, чтобы ради него поднимать такую возню?!

Ну хорошо, хорошо. Для успокоения совести он активировал и третью схему умерщвления Карташа, если не сработают первые две. Наготове была неприметная «тойота», стояла неподалеку от «Крестов», у поворота к Финляндскому вокзалу, мимо которого «автозак» с Карташом непременно проедет. Ну не может быть, чтобы его вообще никуда не вывезли! Ну, например, на психиатрическую экспертизу — ведь он не одного, двоих хладнокровно нафаршировал «маслинами»! И через пять минут после того, как «автозак» въедет на территорию СИЗО и необходимые бумаги насчет «а подать-ка сюда убивца Карташа, повезем субчика к психам» попадут в руки коменданта, у Шилова раздастся телефонный звоночек, и он узнает марку и номер «автозака». Пока пошлют за Карташом, пока приведут, обыщут, оформят и погрузят, водитель и стрелок, вооруженный автоматом СВУ-АС успеют сесть в «тойоту» и приготовиться к тому, чтобы повиснуть у «автозака» на хвосте. Как только появится возможность, будет открыт огонь на поражение и «автозак» превратится в дуршлаг с мелко нарезанным очередями мясом.

Перебор с трупаками, конечно, получается, но — тут уж ничего не попишешь...

...Из всех своих коллег-соратников по «Крестам» режимник Константин Захарченко более всего не терпел докторов. Кто ж спорит, всем приходится крутиться, чтобы в довесок к скромному окладу иметь еще и скромный приработок, все ищут возможность заработать на стороне, и если не наглеть, не нарываться на мстительных оперов, не пытаться откусить больше, чем в рот влезает, то существовать можно очень даже ничего. Опера тоже люди понятливые, соображают, что не ими *система* в «Крестах» построена, не им ее и ломать... тем более, что сами в ней живут. И тоже вынуждены крутиться.

Но вот лепилы, мать их...

Нет, медицинская братия следственного изолятора вовсе не была организована в какую-нибудь там эдакую структуру, конкурирующую с прочими служащими, ничего подобного. Не было у них своего крестного отца, держащего в руках все ниточки, не было разветвленной агентурной сети, а было, как у всех: возможность рубить денежку параллельно зарплате и желание эту возможность применять на практике.

Но фишка заключалась в том, что *крутиться* у лепил получалось быстрее, ненапряжнее, с бо́льшим КПД. И Костя Захарченко примерно представлял себе, каким образом.

Ну, во-первых, сизошные докторишки пользуют всех, не только заключенных – будь ты хоть старшина, хоть сам начальник «Крестов», нет-нет, да и обратишься к ним с какой-нибудь болячкой. Во, теперь, стало быть, и лепила может обратиться к тебе с ответной мелкой просьбочкой. Отсюда связи, контакты, знакомства по всему СИЗО... Во-вторых, у них же у всех верхнее образование, они, блин, умные и начитанные, и видят они со своим кругозором лежащие на земле бабки там, где какой-нибудь сержант с восемью классами из Урюпинска пройдет и не заметит. И, наконец, медики институты позаканчивали, а там, в институтах этих, компании, клубы, общаги, групповые походы в лес и совместные выезды на пляж; вот и привыкли, сволочи, сколачиваться в крепкие коллективы и сбиваться в дружные стаи. А у служивых какие компании? Каждый сам по себе... В общем, проще всего было бы обратиться за помощью к кому-нибудь из лекарей, но Захарченко не пожелал. Решил сам донести посылку – пакет с надписью «Максидом» – до камеры четыре-шесть-*...

... – Везучий ты человек, Карташ, даже подозрительно, – сказал Эдик. – В общем, есть данные про интересующего нас испуганного марамоя из гостиницы. Зовут Сергей, фамилия Давыдов, шестьдесят восьмого года рождения, учился, служил, работал – и при том не привлекался, не состоял, не женат. В смысле, что два года как разведен. Есть дочь, которая живет с бывшей супружницей. Давыдов обитает один. Работает сами знаете где, уже давно, почти с самого открытия. «Арарат» в девяностых построили, когда, помните, при первом мэре к нам буржуины косяками ломанули? Должность его обзывается то ли механик, то ли электромонтер, неважно – потому что Серега наш трудится и тем, и другим, и еще и третьим впридачу. В общем, дежурный мастер по мелким поломкам – кран потечет, лампочка перегорит, дверную ручку кто-то из постояльцев по пьяни оторвет... Накладно, понимаешь ли, для гостиницы кормить массу мелких специалистов. А Давыдов в деле уже давно. Поработал в «Прибалтийской», в «Карелии». Почему ушел оттуда и оттуда – неизвестно, не было необходимости углубиться в биографию...

– Да и хрен с ней, с биографией, – поторопил Карташ. – Давай нонешнее время.

— И про нонешнее время тоже кой-чего выяснилось...

Давыдов этот действительно менялся сменами. И непросто менялся, я бы сказал – круто менялся. Выходил аж три смены подряд, одну свою, две – чужие. Спал в комнате отдыха для персонала, если что требовалось, его будили. Какой там, на хрен, трудовое законодательство... Сам Давыдов свой график объяснял тем, что у него, видите ли, мамашка дюже больна где-то в деревне, под Новгородом, и ему надо на три дня к ней смотаться. Ездил не ездил, больна не больна – фиг его знает, проверить можно, но муторно. Однако когда мой оперок заглянул к нему на огонек, Давыдов уже был дома.

— А оперок твой его не спугнул? – с беспокойством спросил Квадрат. – А то ведь слиняет, козлина, и плакали наши гонорары...

— Обижаешь.

Глава 20

КАК МНОГО КИЛЛЕРОВ ХОРОШИХ

...Дюйм на прогулку опять не пошел.

– От вас хоть отдохну, – пробурчал он по своему обыкновению и завалился спать.

Опер же Эдик по своему обыкновению на прогулке занялся гимнастикой. Свои упражнения он выдавал за гимнастику японскую – это якобы одна из секретных методик ниндзя, которую он узнал от одного японца в благодарность за то, что нашел украденную у него в Питере фамильную катану. Вранье, понятное дело. Но надо отдать Эдику должное – телом своим он владел неплохо и его выкрутасы не выглядели глупым размахиванием руками и ногами. Он садился на шпагат, стоял на голове, отжимался сперва на одной руке, потом на другой, упираясь ногами в бетонную стену, выполнял дыхательные упражнения. И лениво отшучивался в ответ на подколки тех, кто вышел с ними на прогулку.

Карташ сидел на корточках, прикрыв глаза, и ни о чем не думал. Уже не хотелось вообще ни о чем думать...

– Прикурить найдется? – раздалось рядом.

Карташ открыл глаза и увидел напротив себя так же присевшего на корточки парня, держащего в грабе сигаретину. Карташ невольно насторожился. В общемто, было у кого еще спросить прикурить, народу гуляло немало, чего это вдруг ко мне парень подъезжает?

Примерно ровесник Карташа, невысокий, худощавый, со шрамом в углу рта, коротко стриженный и напрочь незнакомый. Карташ молча вытащил поджиг.

– Слушай сюда внимательно, – тихо проговорил курильщик, наклонившись к огню. – Тебя будут мочить. Сегодня. Хочешь узнать, чего к чему, договорись с дубаком, чтобы нас оставили на пять минут после прогулки.

И, затянувшись, отвалил в сторону.

После чего Карташ и сам закурил. Вот те, бабуська, и Юрьев день... И как прикажете на это реагировать? Розыгрыш? Непохоже. Но кто, зачем, откуда этому-то известно? В вопросах можно было легко запутаться, как рыбе в сетях.

Карташ с нетерпением дождался конца прогулки. Вертухай, к счастью, был, что называется, свой – Володя, тот самый прапор, которого Карташ уберег от заточки, но Алексей решил пока не тратить его «долг», приберечь на потом, и поступил, как обычно поступали в таких случаях.

– Командир, – шепнул Карташ Володе, пропустив вперед себя в дверь остальных гуляющих. – Дай нам с товарищем подышать минут эдак пять-десять. Пять пачек «Петра», по рукам?

Володя, для вида поразмыслив секунд эдак десять, кивнул. Когда дверь закрылась и Карташ с таинственным доброхотом остался наедине, давешний курильщик подошел, посмотрел глаза в глаза.

– И кто меня собирается мочить? – спросил Карташ напрямик.

– Я, – ответил незнакомец. И взмахнул рукой.

Если б он не решил покрасоваться с ответом, то не подарил бы Карташу мгновение, и Алексею не на что было бы рассчитывать. Но худощавый не удержался от эффектного ответа.

Хотя, быть может, сработал рефлекс, выработавшийся у старлея за время вэвэшной службы – общаясь с уркой, особенно наедине, даже если он, парализованный, лежит в коме, примотанный ремнями к кровати, следует быть начеку, держать ухо востро и ежесекундно ждать подлянки. А в том, что перед ним именно уголовник, более того – рецидивист, было ясно с первого взгляда.

Алексей отшатнулся ровно в тот миг, когда в выскользнувшее из рукава в ладонь незнакомца узкая полоска металла устремилась к его животу, и заточка прорезала лишь воздух.

Наверное, по уму следовало тут же заорать во всю глотку, призывая на помощь прапора. Но ум еще не успел включиться в происходящее, пока работали одни инстинкты. И подчиняясь им, Карташ подбил руку противника под локоть, одновременно всаживая колено ему в пах.

Противник явно не ожидал такой прыти. Он охнул и согнулся пополам, хотя заточку и не выронил. Особо не мудря и помня о правилах камерного боя, точнее – от отсутствии таковых, Алексей от души врезал ногой по голени, завалил этого долбанного курильщика – «перо» наконец-то вывалилось из ладони, брякнуло о бетон – и начал метелить кулаками по голове.

Карташ что-то кричал при этом, какие-то крики само собой вырывались из глотки. Наверное, поэтому вскоре в пенал для прогулок ворвались двое и отащили Алексея. Это был вертухай и опер Эдик.

— Зарезать хотел, сука, — тяжело дыша, выговорил Карташ. — Вон заточка валяется. Слушайте, да что это за херня у вас тут твориться?! Шагу нельзя ступить, чтоб на идиота с пикой не напороться!

— Главное, чтоб не на саму пику, — сказал Эдик, присев возле поверженного мочильщика. — В качественный нокаут ты его отправил. Хорошо, я притормозил на минутку потрендеть с гражданином прапорщиком, а то бы такой цирк пропустил...

Гражданин прапорщик растерянно вертел головой, переводя взгляд с человека на полу на Карташа, с Карташа на Эдика.

— ЧП, это ж ЧП, доложить надо... — как и тогда в галере забормотал он, с места, однако, на этот раз не двигаясь.

— Абзац, короче, — выпрямившись, сказал опер. — Кто это?

— Понятия не имею, — сказал Карташ. — Впервые вижу.

— Он не сказал тебе ничего вроде: «Это тебя за кореша мого лепшего»?

— Ни хрена он не сказал.

Володя, наконец собравшись с мыслями, надумал бежать — не иначе, за подмогой. Но Алексей остановил его: возникла одна идея.

— Давай-ка пошепчемся, — сказал Алексей, силком отводя вертухая в сторону. — Я тебя еще ни о чем не просил за *тот* случай, помнишь? А вот теперь просьбочка образовалась. Народу же сейчас мало сидит, у вас же есть поблизости хоть одна незаселенная хата, а? Нам бы с товарищем киллером уединиться на полчасика. Не боись, в живых мы его оставим...

— Не, — обалдело замотал головой Володя. — Ты чего, тут же ЧП, куда я вас...

— Слышь, Володя... — сказал Алексей ровным голосом Горбуна-Джигарханяна и приблизил лицо почти вплотную к носу юнца. — Володенька! Ты чего, не догоняешь? Не надоело в прапорах-то ходить? Через десять минут ты доложишь на пост, или куда там надо доложить, что в очередной раз самолично предотвратил кровопролитие и смертоубийство, на этот раз среди контингента, действуя грамотно и в соответствии с инструкциями. Во второй, заметь, раз предотвратил! Понял? Десять минут. Дай нам десять минут!

Не сразу, но до прапора наконец дошло, и в его глазенках зажглись звездочки. Звездочки, как минимум, лейтенанта. Ну и нехай мечтает, вьюнош. Самое большее, на что он может рассчитывать, это повышение до старшего прапорщика, и то вряд ли. Скорее, уж повысят в должности, но уж никак не в звании...

...Звуки, которые раньше были обыденностью, сейчас отдавались в нервах: далекий грохот запертой за кем-то двери, чьи-то голоса наверху, грохот шагов по металлу ступеней. В любой момент кто-нибудь мог вывернуть из-за угла, и от этого было не по себе. Прапор провернул ключ в замке, открыл дверь («А ручки-то дрожат», — заметил Карташ, сам ощущая как колотится сердце и в кровь вливается адреналин.)

— А чего хата пустая? — мимоходом спросил у него Алексей.

– Так это... – губы Володи прыгали, как на морозе. – Тут трое сидит, одного в суд повезли, утром еще, другого куда-то на следственный эксперимент. Вот и... это... пришлось третьего перевести в другую камеру, пока те не вернутся.

Алексей приостановился, насторожившись:

– Зачем?

– Ну... одиночных-то камер нет... Запрещены одиночки-то... А этот один остался...

Они втащили внутрь, держа под мышки, обвисшего пленника.

– И поэтому парня тягают туда-сюда?

– Ну а как иначе.

– Сильно...

Вертухай торопливо запер за ними дверь. Камера, в отличие от «четыре-шесть-*», содержалась далеко не в идеальном состоянии, но озираться и разглядывать времени не было.

– Куда его? – быстро спросил Карташ.

Все же специалистом как по приведению подследственных в чувство, так и по выколачиванию у них признаний был в их спайке не он, а Эдик. Ему и банковать.

– На пол кладем, на спину, – распорядился Эдик. – Эх, жаль подручных средств маловато. Противогазик бы сюда – мигом бы распелся. Аттракцион «слоник», не слышал?

– Не-а...

Они опустили пленного на пол.

– А вроде с одним и тем же контингентом работали. О чем же они тогда тебе пели, как не о ментовском беспределе? Ну да ладно. Рассказываю. На морду лица надевается резиновый намордник со шлангом, но фильтрующая коробка снята. Ручки и ножки у подопечного, естественно, скручены, чтобы не мешал работать. Пережимаешь противогазный хобот рукой. Потом отпускаешь трубку, даешь подышать, снова пережимаешь. И так до полного признания вины... И хорошо бы еще туда, в хобот, аммиаку чуточку капнуть – вообще идеальное средство...

– А, это. Как же, как же... Только у нас это «газовая атака» называлась.

Разговор не мешал Эдику заниматься делом. Напевая под нос:

– Барахолка, барахолка,
    Кто в «крестах», а кто в наколках...

– он рванул на пленном рубашку на груди, распахнул. По полу защелкали отлетевшие пуговицы.

По всему торсу пленненого синели кусочки вытатуированной колючки, паук посреди паутины, рука с кинжалом, оскалившийся то ли кот, то ли тигр... Эдик закатал ему рукав. На предплечье истекала слезами роза, опутанная колючей проволокой.

– Так, так, так, – удовлетворенно проговорил Эдик. – Сиделец со стажем, пусть и не впечатляющим. Повезло, что он разрисован – у *нонешних* это искусство из моды выходит... Ну, а нам работать проще. Знаешь, на что надавить. Эту хитропись читаешь?

– Самую малость, – соврал Карташ. Пусть опер почувствует себя на коне... – Общее и поверхностное. Глубоко не вникал.

– Эх, братья наши меньшие, – удрученно покачал головой Эдик. – Как же вы контактируете с контингентом, ума не приложу! Итак, что мы тут имеем... Малолетка и ходка на взросляк... Грабеж... «Злая киса» – отрицаловка. СЛОН... ну, это ежу понятно, понты обычные. Хм, наркомовской наколки не вижу, не балуется, что ли, наркотиками? Удивительно, в наше-то время по кичам, вроде бы, все поголовно употребляют... Или решил не вековечить сей факт... А вот эту фиговину ему определенно в Пармлаге накололи... Ясненько. К его годам и при таком бурном начале карьеры должен был еще как минимум разок сходить до сего дня. А в карьере образовалась пауза. И почему-то я сильно сомневаюсь, что он был во временной завязке... Сечешь, о чем это говорит?

– Удачно окопался при каком-то бизнесе с надежной «крышей», – предположил Карташ.

– Очень похоже.

– А не проще ли от самого узнать?

– Рекогонсцировочку провести никогда не мешает. И еще кой-чего не помешает.

Эдик огляделся, стряхнул с бельевой веревки дырявый полиэтиленовый пакет, ловко порвал его на полоски и, бормоча: «Простите, мужики, потом верну», – прихватил пленному ноги у лодыжек.

– А граблями пусть шевелит, это нам не повредит, если что – вмиг обломаю.

– Готово? Давай будить, что ли, – сказал Карташ. Времени мало.

– Успеем. А еще лучше автомобильный аккумулятор, – задумчиво проговорил Эдик.

– Что? – не понял Карташ.

– Проводочки кинули бы от аккумулятора, замкнули на головке евонного «болта» – вот где исповедь полилась бы, как перед попом на причащении.

– Ты еще об «испанском сапоге» повздыхай. Коль на то пошло, берется спичка, вставляется в отверстие в том самом органе, о котором ты тут вспоминал, поджигается...

– Следы остаются, – сказал Эдик. – А в нашем деле приходилось думать о том, чтобы не оставлять на теле отметин, иначе от жалоб и заяв не отобьешься. Но сегодня можно не разводить осторожностей... Ладно, пора играть подъем.

Эдик умело, двумя пальцами сжал пленному нос, другой ладонью накрыл рот. Секунды три ничего не происходило. «Так и задушит ненароком», – с беспокойством подумал Карташ. Но тут пленный задергался, заерзал на полу, попытался оторвать от своего лица чужие руки. Эдик не сразу подарил ему возможность дышать, какое-то время еще подержал руки, хоть пленный и бился под ним, что твоя рыба на берегу. И, наконец, освободил.

Пленный лежал, хватая ртом воздух, растирая рукой горло и переводя ошалелый взгляд с Карташа на Эдика и обратно.

– Гутен морген, – поприветствовал его Эдик. – Ну че, падла, петь готов? Исполнять сольную партию «Я встретил вас – и все»? Или сперва желаешь немного помучиться?

Глава 21

МИРНЫЕ БЕСЕДЫ У ШКОНКИ

Карташ с интересом покосился на преобразившегося, оказавшегося в родимой среде Эдика. Он пока не вмешивался, предоставляя вести дело профессионалу сыска и повелителю наручников. Вот когда закончится подготовительный этап и настанет пора собственно расспросов, тогда он вступит в мероприятие со всей активностью. А пока Карташ готовился подыгрывать Эдику, едва проклюнется в том необходимость.

Облажавшийся киллер уже продышался, уже окончательно очухался. Сел, прислонился спиной к шконке, огляделся – типа, куда это меня занесло, хотел сплюнуть, но удержался, вспомнил, где находится. И просто проглотил слюну.

– А как начет покурить, братан?

Карташ не уловил момент замаха. Короткое резкое движение – и Эдик всадил жилистый кулак пленнику в солнечное сплетение. Киллера скрючило, лицо перекосило от боли.

– Ножки подогнул, – объяснил Эдик. – Глазенками стрельнул, примериваясь, куда каблуки всадить. Мышцы на ручонках напряглись. Меня на такой туфте не купишь. А во-вторых, еще раз примажешься, гнида, к моим родственникам – передние зубы выбью, чтоб урок на киче «королевским минетом» ублажать со всем комфортом...

Пленника отпустило, он снова выпрямился, глянул на повязавших его людей, не скрывая злости. Что-то хотел вякнуть, но Эдик не дал – взял киллера двумя пальцами за кадык.

– Как говорят в киношках ихние копы – «и даже не думай»... с-сучара. И считай это последним добрым предупреждением. Потом яйца отобью. А закуришь, когда нам понравится твое поведение.

Совсем не ради того, чтобы усилить душевные мучения пленника, а исключительно ради себя самого Карташ тоже закурил.

– Чего выеживаетесь, макаки? – прохрипел пленный, когда пальцы Эдика отпустили его горло. – Чего надо?

Карташ подумал, что сейчас Эдик снова пустит в дело кулак, но ошибся – его сокамерник заулыбался так широко, словно ему сообщили, будто дело его развалилсь и завтра ему марш-марш на волю.

– А надо нам, гиббон ты краснозадый, чтоб ты кололся, как сухое полено. Кто тебя послал? Что говорили, что обещали?

Пленник пожал плечами, посмотрел на Карташа:

– Скажу уж, раз кругом засада. В карты проигрался, уж извини, начальник. Или долг отдавай, говорят, или мочи первого попавшегося. Долг отдавать нечем. Пришлось брать перо... Вот, попался ты, такая, бля, фортуна. Ты в полном праве на претензию.

Он излагал вполне убедительно, но Карташ не верил ни на йоту – и не только потому, что за такой короткий срок два проигрыша в карты, оканчивающиеся мочиловом, и оба так или иначе связанные с Карташем – это уже слишком большое совпадение (не «Кресты» получаются, а игорный дом какой-то), но и потому, что в глазах оплошавшего киллера пряталась едва заметная усмешка.

– Не, ну просто песня о старом и главном, – Эдик говорил все с той же широкой улыбочкой. – Как я это люблю, не передать! Словно вновь на любимой работе... Морда, ты ж не первоходка, ну понимать же должен, что я тебя все равно расколю. Там, на воле, колол, так что потом не угонишься записывать за вами, бланков не хватало, и здесь расколю...

Эдик резко стер с лица улыбку, ухватив цепкими пальцами, вздернул пленному подбородок.

– Ты понимаешь, морда? Все колятся, – голос Эдика зазвенел от не наигранной злости. – Не дошло еще? Повторяю: *все*. Я всех гнул, всех, и тебя, говнюк, согну! Нет так, так сяк...

У него получалось. Ненависть, клокотавшая в нем, ощущалась кожей с нескольких метров, как жар от раскаленной печки, и даже Карташ почувствовал себя в этот момент неуютно. Черт его знает, блефовал Эдик или нет. «А пожалуй что и нет, – подумал Алексей. – Очень похоже, он по-настоящему завелся. Видимо, у него пунктик на этом. Когда быкуют у него на глазах, что-то замыкает в башке. Подстрелил же он того гопника, который к нему на улице подошел... И хорошо еще, что его посадили раньше меня, а то попал бы к нему в разработку, чего доброго...»

Хотя пленного заметно проняло, он все же нашел силы ухмыльнуться:

– Задвинул бы ты свои мусорские замашки, а? Ты тут такой же, как все. А за то, что меня трюмишь, я те карцер-то обеспечу.

– Ну, нехай будет карцер, если тебе так хочется, не впервой... – Эдик ласково улыбнулся. – Эт-точно, это ты прав: мы здесь все одинаковые... Поэтому и я тоже молчать не буду. Я вот что сделаю: я потом по хатам маляву пущу, будто ты, сявка приблатненая, размахивал заточкой передо мной, ментом, вон его, «вована», – кивок на Алексея, – чуть не поцарапал, а когда мы тебя играючи скрутили и по почкам от души настучали в воспитательных целях, ты наябедничал операм... Но и это еще не все. Потом я и с этими оперками, коллегами моими, перетру насчет твоего беспредела. И как думаешь, что они сделают?

Пленный смотрел исподлобья и молчал.

– Правильно думаешь. Они ребятки вообще-то мирные – их не трогают, и они никого не трогают... и оченно не любят они всяческие ЧП и кипеж среди подопечных... Напрягаться они не любят, видишь ли. А насчет твоего демарша – знаешь, что такое «демарш»? – придется им отрывать попу от стула и что-то предпринимать. Организовывать, типа, профилактику подобных инцидентов, участить шмоны, закрутить несколько гаечек – дабы не повторилось безобразие, отвечать на жалобы, сочинять докладные о проделанной работе и писать объясниловки – как получилось, что не предупредили, не пресекли членовредительство, не поймали за руку... И как после этого к тебе будут относиться твои дружки – коли из-за тебя, мудака, их лишат водочки по субботам и неположенных предметов по хатам?..

– И даже это не все, – позволил себе встрять Карташ. – Пока прапор нас отседова не попросил, я из тебя бифштекс начну готовить. С кровью. И братва меня поддержит: не я ведь первый-то начал, это ты на меня с булавкой полез. Ну, посижу я тоже потом в карцере, ну и что... Вот теперь действительно все.

— Да че вам от меня надо?

Ага, вроде проняло.

— Я вам подробно размазал, как все было!

— Ты мне звездишь, как Троцкий на трибуне, — сказал с нехорошим прищуром Эдик. — А я не люблю. Ты дуру судье будешь гнать, а мне будешь отвечать правду.

— Да пошел ты! — взорвался пленник. — Тебя потом самого порвут, мусоряга!

— Не понял, — констатировал Эдик и открытыми ладонями врезал ему по ушам.

Пленник, мяукнув, схватился за голову. Эдик добавил кулаком по губе.

— И это начало начал. Повторяю вопросы. Кто тебя послал? Чего посулили? Или начинаю превращать тебя в отбивную.

— А что ответку держать придется, не боишься? — пленник вытер кровоточащие губы тыльной стороной ладони. — Перед людьми, а не перед этими баранами, — он кивнул в сторону двери. — Из тебя же потом...

Бить Эдик умел. И еще раз доказал это, всадив кулак в печень пленника. Тот застонал, выгнулся дугой, перевернулся на бок.

— Все, начинаем ломать этого козла по-серьезному, — сказал Эдик. — Битьем из него не выколотишь. Видать, приходилось терпеть и похуже. Прижми-ка ему ласты...

Пленник сломался, когда Эдик стал отдавливать ему ногой детородные причиндалы, грозя превратить хозяйство в омлет. К этому моменту несостоявшийся киллер уже уразумел, что опер настроен крайне серьезно и станет ломать до конца, не притормозит ни перед чем.

– Он думал – это мы не всерьез. Ребра намнем и отдадим цирикам, – никак не мог успокоиться Эдик. – А тут оно вон как пошло, да!

– Стой! Хоре! – выпалил пленник, когда у него выдернули кляп. – Говорим...

Он сел, несколько раз глубоко вздохнул.

– Дай закурить.

Эдик молча протянул ему красный «Винстон», поднес огня.

– Погремуха у тебя какая? – спросил Карташ.

– Башан, – ответил пленник.

Карташ заметил, что Эдик внимательно следит за пленником, готовый пресечь поползновения в любой момент.

– Вопросы помнишь или повторить? – продолжал Алексей.

– А че там повторять... Если я тебя положу, пообещали перевести к психам. Оформить невменяемость, чтоб отсиживал в дурке. Ну, а оттуда человека раньше срока вытащить нетрудно...

– Сюда по мокрому угодил? – догадался Эдик.

– Ну.

– Кто тебе обещал такое счастье? – спросил Карташ.

Назвавшегося Башаном ломало отвечать на этот вопрос:

– Слушай, а ты сам не знаешь, кому дорогу перешел? Люди, которые меня подписали, сами посредники. Их попросили, они и подписали... Ну вот обозвался я, и что вам это дало? Да ни хрена не дало! Ну назову я тех людей, так оно тоже ничего вам не даст.

Эдик склонился над пленником и мягонько так проговорил:

— А можно мы сами решать будем? Не целка все ж таки: даст — не даст... И душевно тебя прошу, ты уж не спотыкайся и не юли. Раз запел, так отвечай, про что спрашивают. Или прикажешь все по новой начинать? И учти, коли я только заподозрю... просто заподозрю, что ты опять начал врать... — Эдик многозначительно ухмыльнулся. — Говори, родной, не тяни.

— Тугарин подписал, — выдавил из себя пленник.

— А-а, — понятливо протянул Эдик. — Вон оно что... Он повернулся к Карташу.

— Знакомый орелик. Карновский Георгий, кажись, Валентинович. Он же Жорик, он же Тугарин. Два раза был под следствием, разок здесь парился, но оба раза от срока уходил. Богатыми тачками занимаются. Раздевают, уводят, перегоняют. Эй, как там тебя... Башан, а в лепших корешах у него до сих пор ходят Южный и Родик?

Башан усмехнулся:

— Может, и они. А может, и нет. Я тут уже полгода отдыхаю, про их дела не слышу.

— Но дачки хоть шлют?.. Ладно, плевать. Пой дальше.

— А че дальше-то?

— Че, че, через плечо! — взвился Эдик...

И запнулся. И в самом деле: че?..

— Кто сынка Гаркалова успокоил? — поспешил ему на выручку Карташ.

Этот вопрос он задал наугад — видел, что Эдик теряет ритм допроса, а ничего другого в голову не пришло.

258

Но Башан вдруг дернулся, как от очередного удара, и даже инстинктивно попытался отползти от мучителей подальше.

– А Димона что, грохнули?! – хриплым шепотом спросил он.

Опа! Вот это номер! Подельнички заказали Башану Алексея, а зачем, почему его надо убить, объяснить не потрудились? Молодцы ребята...

– Ну-ка дурку не валяй мне! – подхватил Эдик, многозначительно глянув на Алексея. – Скажи еще, что не в курсах!

– Это не я... – залепетал Башан. – Дочкой клянусь – не я его... – И почти заорал: Как я мог Димона шлепнуть, ну как, если я в «Крестах» сижу?!

– Тихо, бля! – придавил ему рот Эдик. А когда тот затих, проникновенно спросил, убравши ладонь: – Чего ж ты, милый, так перепугался-то? По-моему, тебе еще никто обвинительное заключение под нос не сует...

– Ага... – Башан посмурнел. – Димон именно так и говорил...

Быстро, но аккуратно, как проводят хирургическую операцию в полевых условиях, Алексей и Эдик, играя без предварительного, что называется, сговора, по схеме «нам все известно», выпытали из «уголка» некоторые крохи, каковые не столько проясняли ситуацию, сколько еще больше все запутывали.

В переводе с примитивного языка, история выглядела так. Чуть меньше года назад что-то изменилось в поведении Димочки Гаркалова. Никто из «сослуживцев» этой перемены не заметил... кроме Башана. Башан всегда чутко принюхивался к малейшим нюансам в настроении шефа, поскольку, будучи его «замом по общим вопросам» (знающие люди понимают), в полной мере отдавал себе отчет, что без благодетеля такой халявной службы ему больше не обломится. Завязать с уголовным прошлым хотелось до усрачки, равно как хотелось и подольше оставаться порученцем при Гаркалове-младшем, замом, который занимается разруливанием чисто бандитских вопросов. Так что Башан, как вышколенный не одним поколением предков слуга, старался предугадать желания, проблемы и вообще эмоциональный фон патрона, дабы вовремя помочь, посоветовать, а то и уберечь от опрометчивых шагов. И вот с какого-то момента он стал подмечать в поведении шефа перемены и поначалу решил было, что Димон вновь сорвался, подсел на «джеф». Очень уж похожими были симптомы: Гаркалов выглядел постоянно возбужденным, потирал ручки, мог замолкнуть на полуслове и надолго задуматься, в уме что-то просчитывая и комбинируя. Понаблюдав за ним пару недель, Башан понял, что — нет, к экспериментам с наркотиками Дима не вернулся, а задумывает, не иначе, новое дельце. Тогда он принялся осторожненько прощупывать почву: что за фигня, типа, и чем это нам грозит. Дима молчал, как танк без топлива, но однажды обмолвился на каком-то банкете:

— Во, Башан, бля, скоро совсем иначе заживем. Абрамовичу с Ходором на бедность подавать будем, даже папашку моего мохнорылого за пояс заткнем... Выгорит, жопой чую — выгорит!

Парень, в общем-то, жадный и недалекий, Башан, тем не менее, стремался прожектов, сулящих в туманной перспективе агромадные проценты, и подсознательно следовал народной мудрости: где большие бабки, там и большие проблемы, о чем он и попытался аккуратно патрону втолковать. Однако зенки патрону застлал грядущий белый снегопад из черного нала в образе зеленых президентов, и плевать ему было на всяческую мудрость.

Однажды, совершенно случайно, Башан увидел Диму в компании незнакомых челов. Дело было в конце лета, прохладным утром, проходил это он мимо Московского вокзала, пешочком возвращаясь домой после бессонной, сугубо деловой встречи и попутно выветривая из организма остатки алкоголя, и на стоянке перед вокзалом вдруг срисовал знакомую внешность. Благодетель сидел на пассажирском месте в двухдверном «мерсюке»-кабриолете кричаще-алого цвета («только педрилы на таких ездят»), за рулем помещался седовласый полноватый тип лет шестидесяти, а на заднем сиденье вольготно расположилась роскошная бикса с длинной коричневой сигаретой в пасти. Ни внешность рассмотреть, ни возраст ее определить Башану не удалось – тетка была в огромных темных очках и пестром головном платке, завязанном под подбородком и скрывающем половину бледного фейса. Единственное, что мог сказать про нее пленник, это: «Упакована лялька на лям баксов, да и трахают ее, видать, каждую ночь, потому как довольная и гордая была, сучка, как королева».

Оба попеременно что-то втолковывали Димону, терпеливо и обстоятельно, точно воспитывали детеныша-дауна, но Димон, надо сказать, выглядел паршиво. Смотрел невидяще прямо перед собой и был с лица совсем спавши, ну точно мелкий барыга, который занес отмороженной крыше месячную долю, отдал, а в конверте вместо бабла – нарезанная газета...

Башану стало крайне неуютно. И не потому, что шеф отчего-то не взял его с собой на эту стрелку – вовсе нет... Просто Башан десятым чувством ощутил вдруг явственную, почти осязаемую угрозу, исходящую от парочки в кабриолете. А потом он обратил внимание на два громадных джипа с тонированными стеклами, мирно припаркованных один впереди, другой позади «мерса», струхнул окончательно и поспешил убраться подальше.

С этого момента поведение шефа опять изменилось. Димка стал замкнутым, угрюмым и еще более задумчивым, но когда Башан подрулил к нему с конкретным вопросом – не нужна ли, мол, его помощь, улыбнулся, хлопнул зама по плечу и сказал:

– Не ссы, прорвемся. Обвинительное заключение нам пока никто не предъявлял.

А потом случилась та глупая свара на заправке, когда какой-то урод на дешевом «фольксвагене» едва не помял крыло Гаркаловскому «БМВ», а Башан предельно вежливо выразился в том смысле, что надо глаза протирать, пока их, урод, тебе в задницу не засунули по очереди, а урод вдруг вытянул монтировку из-под сиденья и попер на Башана, едва не обсераясь от собственной смелости...

Короче, и вот Башан в «Крестах».

Больше из него вытянуть ничего не удалось, тем более, что на пороге возник трясущийся прапор Володя и настоятельно попросил всех на выход...

На выходе Эдик обернулся к Башану и участливо спросил:

– Слушай, дорогой, а откуда у тебя фингал на скуле?

– На прогулке поскользнулся, – незамедлительно последовал угрюмый ответ. – Два раза.

– За сигаретами не забудь заглянуть, – сказал Карташ прапору. – И, это... спасибо, в общем...

Дюйм же, внимательно выслушав историю об этом приключении, обрадовался неимоверно.

– Ну вот и покупатель отыскался, а вы говорили... Ясный перец, папаша Гаркалов против тебя лично, – он показал на Карташа, – ничего не имеет. Ему втемяшилось отомстить убийце, и он, конечно, уверен, что убивец ты. И вот какая комбинация выстраивается... Теперь представим, что папаше докладывают, будто бы есть сомнения. И главное – есть и способ разобраться, подставили ли бедолагу-вэвэшника или это все же он, гад такой, сына завалил. Но если подставили, значит, живет на свете сволочь, которая затеяла игру против Гаркаловых. Захочется ему узнать, кто против его семейки химичит, как думаете? Во-о, то-то. Теперь. Что у нас есть? Откровенно говоря, есть мало чего. На руках у нас мизер. Но и с мизером играют и выигрывают. У нас имеется автомобиль с насквозь фальшивыми номерами. Его мы, разумеется, не найдем, но сам факт его существования говорит о многом. Дальше. У нас имеется подозрительный хрен из гостиницы. Да, улик против него никаких, и отсюда мы их никак не добудем, даже с помощью всех друзей Эдика. И вообще, единственный способ, что-нибудь добиться от этого подозрительного – развязать ему язык. Что, увы, возможно лишь путем применения насквозь незаконных методов дознания.

— И кто будет заниматься этими методами? – спросил Эдик.

— Автолюбители, – не задумываясь, ответил Дюйм. – Во-первых, мы отпустили с миром ихнего парнишку и готовы навсегда забыть об этом печальном недоразумении...

— Ага, они просто по жизни будут считать себя обязанными, жди больше, – сказал Эдик. – Не та это публика, Дюйм. Отпустил – твое дело, тебя никто не просил.

— Тишина в зале суда! – рявкнул Дюйм. И добавил тише: – Не лезь, сынок, поперек батьки. Не про благодарность речь. А про жест, который они должны оценить, и, по крайней мере, выслушать нас со всем вниманием.

Тут-то и начинается во-вторых. Мы им отдасм нашего подозреваемого Давыдова, убеждаем в своей *твердой* уверенности, будто этот субчик знает, как на самом деле было и кто настоящий душегуб. Именно это и остается из него выколотить. При их криминальных возможностях – пустяк, о котором смешно говорить. И тут надо перед автолюбителями красиво так, по-адвокатски разложить их счастливое будущее: как они приносят Гаркалову на блюдечке правду про коварные замыслы его врагов, как Гаркалов их за это щедро благодарит... Ну и про нас чтоб не забыл.

— А как ты выйдешь на автолюбителей? – спросил Карташ.

— Это-то как раз проще простого, – отмахнулся Дюйм. – Через твоего Башана отправляем маляву этому, Карновскому. Пусть кто-нибудь приползет сюда на свиданку. Маляву составим вместе, а лично переговорить с автомобилистом могу и я. Думаю, у меня это лучше получится... Ну как?

– Фигня, – сказал Эдик. – Башана сейчас наверняка опера колят, мы его не достанем еще неделю... Если вообще достанем.

– И что ты предлагаешь? – посмурнел Дюйм.

– А плевать на него, – осклабился Эдик. – Я знаю Карновского. И у меня дома телефон где-то его есть. Позвоним жене, узнаем, перезвоним напрямую... Не верю, чтобы он не стал слушать – меня-то!

– Отлично, – скептически заметил Квадрат. – Охренительно. Значит, если я правильно въехал, мы сдаем автовикам нашего Давыдова в отеле. Они нам обещают проплатить. Продают соучастника папе Гаркалову. И Гаркалов выбивает из него правду. Правильно?

– Типа того.

– Зашибись! – начал заводиться Квадрат. – Но в этой схеме я что-то не вижу наших интересов. Они ж кинут нас, как на лохотроне! И автолюбители, и Гаркалов! Получат Давыдова и забудут, кто мы такие!

– Спокойно, – расплылся в торжествующей ухмылке Дюйм. – Все предусмотрено и учтено!..

Глава 22

О ПРАКТИЧЕСКОЙ ПОЛЬЗЕ АВТОРЕМОНТНЫХ МАСТЕРСКИХ

В начале десятого утра из гостиницы «Арарат» в утренний сумрак вышел высокий тип в куртке цвета «кофе с молоком», подбитой белым мехом, перешел улицу, нашаривая в кармане ключи. Его новенькая белая «мазда» была припаркована на другой стороне, аккурат под камерой видеонаблюдения соседнего бизнес-центра, так что он подчас даже не ставил ее на сигнализацию. В этот раз, впрочем, сигналка была включена, и Сергей Давыдов ткнул кнопку на черном пультике. «Мазда» приветливо пискнула два раза и дважды мигнула габаритами. Сергей сел на водительское место, поежился от холода, запустил двигатель и полез за сметкой в бардачок – ночью пошел снег, надо бы стекла расчистить. А в это время мотор и прогреется. Он наклонился к бардачку...

В лицо пшикнула вонючая струя, ударила в носоглотку – и иссякла. Он еще успел почувствовать резкий, как мята, запах, а потом вдруг увидел прямо перед глазами черную кожу пассажирского сиденья, очень близко – упал, что ли? А потом мир померк.

Впереди неспешно припарковался грузовой «форд»-фургончик, аккурат между «маздой» и видеокамерой. Отъехал он буквально через полминуты – и чего, спрашивается, вставал? – и спустя еще пару секунд следом за ней на улицу вырулила «мазда»...

Внутри бокса было чистенько и светло, инструмент не валяется где попало, да и работяги опрятные, не в промасленных ватниках, а в аккуратных синих комбезах.

«Хана», – тоскливо подумал Сергей Давыдов.

Впрочем, ханы пока не наступало. Вместо нее громыхнула цепь, загудел электромотор, и Давыдова потащило вверх... Окончательно придя в себя, он осознал, что его подцепили за наручники крюком и подтянули вверх грузоподъемным устройством под названием тельфер, с помощью которого вытягивают из машин и меняют карбюраторы. Пока ноги Давыдова еще касались пола.

– Здорово, – сказал абсолютно незнакомый Давыдову человек. Он сидел напротив Сергея на стуле и качал в руке пульт управления с тремя кнопками.

Человек этот и по возрасту, и по одежде, и по тому, как себя держал, мог оказаться кем угодно – от мента до бандита. Или... О господи... Неужели хотят его «маздочку» разобрать, а самого закопать где-нибудь на пустыре? Внутри все оборвалось. Стоп, но почему тогда сразу не прикончили?..

О чем никак не мог знать работник гостиницы «Арарат» Сергей Давыдов – что перед ним сидит хорошо известный и довольно авторитетный в некоторых кругах человек по имени Родик. Зато Родик знал, кто сейчас находится перед ним в крайне неудобном для беседы на равных положении. Для того и *зазвали* этого штымпа в гости, чтобы он оказался в подобном неудобном положении.

– Проверим-ка технику, вдруг не пашет, – сказал Родик. И нажал кнопку со стрелочкой вверх. Загудел электромотор, звякнула цепь, и пленника потащило выше. Сцепленные наручниками за спиной руки выворачивало из плечевых суставов.

— Работает, порядок, — удовлетворенно сказал Родик, нажимая красную кнопку.

Давыдов теперь уже касался бетонного пола лишь носками ботинок.

— Может, поорать хочешь? — лениво предложил Родик. — Спасите! Караул! Милиция! Это завсегда пожалуйста. Места тут обитаемые, менты табунами ходят, дружинников, как на сучке блох, а честные граждане им вовсю помогают. Да и стеночки у бокса хлипкие, любые крики пропускают и даже усиливают. И мы против не будем. Постоим, послушаем, как ты надрываешься.

— Что вам нужно? — выдавил Давыдов, чувствуя, как рубашка на спине стремительно намокает от пота. Больно пока было не очень, пока было просто некомфортно, но он представлял себе, что начнется, если крюк поднимется еще чуть-чуть.

— А ты думаешь, не объясним, голуба? Так и будем с тобой одними шутками перебрасываться?

— Командир, а дай-ка я ему монтировочкой по ребрам пройдусь. Сил нет просто стоять и смотреть на эту суку, — попросил один из работяг.

— Ну подожди ты, а! — повысил голос Родик. — Не, я тебя точно за садо-мазо уволю из рядов. Ты мне одного уже превратил в кусок мяса, спасибо большое... А может, этот кент сговорчивый, словесными запорами не страдает и Бонивура корчить не станет. Дай ему шанс.

— Я не понимаю, — проблеял Давыдов. У него уже начали затекать руки.

– Правду говорить, бля, сразу готов или после монтировки? Вишь, как боец поработать рвется. Ну?

– Какую правду?..

– Готов или нет, спрашиваю? – произнес Родик быстро и жестко.

– Г-готов...

– Смотри, козел, – сказал Родик тихо и страшно. – Если услышу что-нибудь типа «Вы не за того меня принимаете, мне ничего не известно», – я просто встану и уйду. На хрен мне тебя уговаривать, ты ж не девка... пока. А с тобой бойцы поговорят – они *поговорить* умеют и страсть как любят. Во-о... Только потом пол отмывать придется от дерьма, ну да ладно... А будешь вести себя хорошо, уйдешь отсюда живехоньким. Даже лучше – уедешь на своем драндулете...

В общем, как и ожидалось, сломать работника гостиницы «Арарат» оказалось делом несложным. Сергей Давыдов выложил все, что знал.

Знал он одновременно много – и ничего.

У Сергея Давыдова был оперативный псевдоним «Чеснок». Получил он его еще в те годы, когда работал электриком в «Прибалтийской». А годы те были, на его несчастье, советскими, когда за валютные операции сажали... случалось, что и навсегда. Посадить, между прочим, могли и за какие-нибудь десять баксов. Сейчас смешно вспоминать... но только не тем, кто когда-то был закрыт по этой статье.

Валюту в «Прибалтийской» прикупали многие, а приторговывали почти все. Допустим, дадут тебе на чай долларами, а не «деревянными», так надо ж потом куда-то сбывать зеленые, не выбрасывать же, не сдавать же добровольно государству. Разумеется, в гостинице существовала круговая порука, но нет-нет, да и попадется кто-нибудь, нет-нет, да кто-нибудь кого-нибудь сдаст.

Вот так однажды попался Давыдов.

У него имелся тайничок в гостинице, куда он складывал валютные поступления – крохотные по современным меркам, но вполне приличные по меркам советским. И чтобы не шляться каждый день с валютой в кармане, Сергей опустошал тайничок примерно раз в две недели, уносил накопления домой. Его и прихватили как раз после того, как он выгреб все из тайничка и почапал к выходу – аккуратненько так схватили под мышки два крепеньких хлопца из Комитета глубокого бурения. Ясный хрен, сдал Серегу кто-то из своих, но кто именно, он так и не докопался.

В общем, Сереге выбор оставался небольшой: или садиться, или давать подписку о сотрудничестве. Он, естественно, выбрал второе. И получил оперативную кликуху «Чеснок» вдобавок, как положено, к куратору. Ну и пришлось, конечно, поработать. Правда, вскоре грянули нешуточные перемены, и тут уж комитетчикам стало не до мелкой сошки вроде Давыдова.

После распадов и развалов Сергея долгое время никто не тревожил, и он решил, что все минуло, что о нем забыли. Черта с два. Однажды, как говорится, пришли. Это был не его прежний куратор, другой какой-то боец невидимого фронта, в руки которого перешла судьба Давыдова вместе со всем подробнейшим материалом на него. Конечно, валютные грешки уже напрочь никакой роли не играли, но, на беду Давыдова, за время первого этапа сотрудничества его успели впутать в куда более неприглядные и куда более серьезные дела.

Эти новые старые кураторы и пристроили Давыдова в отель «Арарат». Правда, теперь Сергей уже не был на сто процентов уверен в том, на кого именно работает, на какую именно структуру. Ну разве что совершенно точно он работает на тех, кто знает о нем достаточно много всего нехорошего. А ФСБ ли, не ФСБ ли, иная какая *служба* – с некоторых пор Давыдова это перестало волновать. Но контора серьезная, это точно, не частная самодеятельность, все же он научился отличать служивых людей от вольнонаемных.

Его использовали не сказать чтобы часто, но регулярно. Все-таки пусть не «Астория», но гостиница не для бедных, многие непростые люди селились. Особенно же любима гостиница была и остается российскими бизнесменами, не слишком стесненными в средствах. А вокруг российских бизнесменов, как известно, далеко не все так просто – то криминал, то политика...

Ну и разумеется, за *работу* Давыдову всегда исправно платили денежку. Не бог весть какую великую, но очень даже не лишнюю в нынешнее дорогое время, да и задания давались посильные: жучок, там, в номер всадить, миниатюрную видеокамеру поставить, незаметно провести в гостиницу и к нужному номеру каких-то людей и самому постоять на стреме, или организовать условия, чтобы провести в таком-то номере негласный обыск, то еще чего...

Про это «еще чего» Родик *пока* не стал допытываться, но оставил пометочку в голове. «Раз были видеокамеры, – подумал он, – значит натурально кого-то компроматили. Не хило бы узнать, кого и на чем. Да и пидор этот наверняка в курсах про чьи-нибудь темные делишки...»

Примерно за неделю до убийства Гаркалова Сергею позвонил его куратор и скомандовал готовиться к подмене: вскоре придется выходить на работу каждый день. Когда именно и сколько суток подряд – после, мол, узнаешь. Также ему было приказано установить прослушку в номере двести восемьдесят четыре. И еще не расставаться с мобильником.

В тот самый вечер, где-то около половины первого ночи, Давыдову позвонили на «трубку» и велели подготовить незаметное проникновение в гостиницу человека, о приходе которого будет сообщено еще одним звонком...

Звонок последовал и в два сорок ночи. Давыдов со служебного входа впустил в «Арарат» абсолютно незнакомого ему человека. Бабу. В смысле девку. Как выглядела? Ну... лет двадцати, не больше, стройная такая аппетитная, чуть рыжеватая шатеночка с короткой стрижкой. По всему видать – из тех, что предпочитают насквозь продажную любовь. Вещичек при ней никаких не было, только сумочка через плечо болталась, но такая, в котороую не то что ствол – кошелек нормальный не упрятать. Ни одного охранника поблизости не наблюдалось. Ночная гостья, видимо, была отлично ознакомлена с планом гостиницы и прекрасно осведомлена о гостиничных порядках, официальных и неофициальных. Потому что ни о чем не расспрашивала – вошла, велела ждать у лестницы и, когда последует очередной звонок, обеспечить беспрепятственный выход из отеля. Что Сергей и выполнил, потому как за годы сотрудничества привык беспрекословно выполнять поручения ни о чем не спрашивая и не удивляясь последствиям, к которым иногда приводили его поручения... Куда она направилась, Давыдов не смотрел. А потом началась пальба, понабежали менты, и больше, что характерно, никто не звонил. Как лялька покинула гостиницу – сие навуке неизвестно. По крайней мере, Сергей ее больше не видел...

– И ты, типа, как пионер уверен, что тот ночной странник замешан в мочилове? – спросил Родик, когда поток красноречия иссяк.

– Да ни в чем я не уверен! – прохрипел Давыдов. – Что было, о том и рассказываю!..

Родик задумчиво почесал в затылке и на этом светскую беседу решил прекратить. Что ему было поручено узнать, он узнал, теперь пусть Карновский мозгует и комбинирует.

Карновский комбинировал недолго, и после раздумий решил все ж таки набрать федеральный номер одного знакомого опера, чтоб он провалился: в конце концов, сам Карновский ничем не рисковал, а вот если не отзвониться, как обещал, – дружки судьи и оперка этих потом за яйца к бельевой веревке подвесит, можете не сомневаться, ученные...

Повесив трубку, Карновский еще немного покумекал и набрал номер говнюка, который впутал их во всю эту историю с «Крестами» и сидящим там убийцей Гаркалова...

Глава 23

КРАХ ОПЕРАЦИИ «НИРО ВУЛЬФ»

Шилову надоело ловить бомбил и торговаться, поэтому он под чужое имя взял на прокат серую и неприметную в потоке дорогих иномарок «шкоду-октавию». В конце концов, в средствах он ограничен не был, но тратиться на частников считал лишней роскошью. Тем более, что не всегда возможно поймать тачку, а если вдруг понадобиться, вдруг возникнет насущная необходимость присутсвовать одновременно в нескольких местах, а водила откажется возить гостя города туда-сюда... Вот как, например, сейчас.

События завертелись с головокружительной быстротой.

Во время последнего разговора с Карновским они договорились так: устранение Карташа проходит успешно – Карновский звонит и произносит одну кодовую фразу, что-то срывается – звонит и произносит другую фразу. Так этот недоумок Карновский позвонил и обошелся вообще без кодовых фраз, а сказал, что возникли неожиданные проблемы, причем, говорит, не у нас они возникли, а у вас. Такие, блин, проблемы, что все прежние договоренности требуют пересмотра. Если желаете узнать, в чем дело, добавляет, нужно встретиться. Вот он и летит на встречу с Карновским. Как шестерка, блин, на свист бригадира.

Но – не долетел.

Телефон заиграл начало увертюры из «Вильгельма Телля», Шилов, не отвлекаясь от дороги, нашарил в кармане трубку, матернулся, но посмотрел на высветившийся номер и мигом собрался.

— Да!

— Серая «газель», — негромко сказала трубка, — номер...

Шилов нажал отбой и тут же отстукал семь цифр.

Сработало! Карташа вывозят из «Крестов»! Неважно, куда и насколько, главное — что он вот-вот будет вне стен СИЗО, а следовательно, станет прекрасной мишенью.

Ваше слово, товарищ автомат СВУ-АС!..

Он включил левый повортник и вывернул руль, перестраиваясь. Сзади раздались раздраженные гудки. Плевать. Шилов был неподалеку от Финляндского вокзала и намеревался лично проследить за ходом акции.

Развернувшуюся следом на ним синюю «десятку» он не заметил.

...Ровно в тот момент, когда автолюбители заканчивали отчет, лязгнул замочек, приоткрылась чуть-чуть «кормушка» — Дюйм, который в позе «Ленин и кепка» держал в вытянутой руке мобильник с включенной громкой связью, едва успел в панике вырубить громкость и спрятать «трубу» за спину, — и на пол хаты шлепнулся кусочек бумаги, скатанный в плотную трубочку-рулончик. «Кормушка» тут же захлопнулась. Малява. Кто-то передал им через цирика записку.

Дюйм шумно перевел дух, нажал кнопку отключения связи, а Эдик наклонился, подобрал бумажку, посмотрел на нее.

– Тебе, блин.

И протянул маляву Карташу. И точно: на трубочке было написано карандашом: «А. К-шу». Если цирик ничего не перепутал и в соседней камере не сидит какой-нибудь Андреас Кальнынш, который тоже А. К-ш.

– А ты здесь популярен, сокол ты мой одинокий, – заметил опер, и в глазах его вновь появился огонек подозрительности. – То дачки сыплются как из рога, то теперь и письма пошли...

Не так давно Карташу доставили еще одну загадочную посылку, и опять в неурочное время – полиэтиленовый пакет от «Максидома», с хавкой, сигаретами и причиндалами для чистки зубов.

– Так Пастор кормит, – пожал плечами Алексей, искренне уверенный, что так оно и есть.

– Ладно, погодите вы, – бросил Квадрат и повернулся к Дюйму: – Я не понял, что там с нашими бабками?

– А ничего, – яростно сказал Дюйм, швыряя трубку на одеяло – то есть, уже не пряча ее от Карташа. Эмоции переполняли его. – Все всё слышали, всё все поняли. Что могли, мы сделали. Дальше пусть папаша Гаркалов выясняет, кто за всем этим стоит.

– Дык кто стоит-то?! Шлюха какая-то вошла в гостиницу, без ствола притом, и что? Она, что ли, сыночка мочканула? Как? И кто она такая?

– Да-с, милостивые государи, – вздохнул Эдик. – Опять тупик. Будем копать дальше? Или все же это наш общий сибирский друг укокошил обоих?

– А я с самого начала и говорил, – сказал Квадрат. – И все равно он нам денег должен. Сам работу предложил...

276

– А вдруг Давыдов этот оказался бы не при чем? – угрюмо спросил Алексей, раскатывая на ладони трубочку малявы. – И его б братва запытала до смерти?

– Но оказался-то очен-но даже причем, – отмахнулся Эдик. – Не ной, Карташ. Знаешь, если все время оглядываться на «если бы», да «кабы», да «как бы чего не вышло»...

Но Карташ его уже не слушал. Ему вдруг все стало ясно. Все сложилось в одну картинку. «Вон оно как... – подумал он совершенно спокойно. Ни обиды, ни тоски, ни разочарования он не испытывал. Вообще ничего не испытывал. – Мог бы и сам допереть. Значит, с самого начала это была огромная многоходовая подстава. И плевать, ради каких таких золотых ферзей гробовая фирмочка "Глаголев, Кацуба и Ко" решила пожертвовать пешками Алексеем и Машей. Главное, что пожертвовали *Машей*... Ай-ай-ай, товарищ Кацуба, с женщинами воюете, а еще офицер... Чем ты лучше какого-нибудь Эдика, Пастора или Гаркалова?»

Таких совпадений просто не бывает. И не важно, кто убил Машу – киллер-невидимка или он сам в наркотическом дурмане. Теперь уже не важно. Главное, что об «Арарате» Карташ узнал за два дня до вылета в Питер. В «Арарат» их поселила Глаголевская контора. А таинственный куратор приказал Давыдову переиначить свой график работы *за неделю* до их приезда. Возможно, конечно, что подселение в номер двести восемьдесят четыре планировалось Кацубой задолго до того, как он посвятил в свои планы Карташа, и некий их с Глаголевым противник, имея «уши» в конторе, успел подготовиться. Но – подготовиться к чему? К тому, что на презентации – куда Алексей и

Маша пошли по воле, между прочим, того же Кацубы – им обязательно встретится Гаркалов, что сынок непременно станет крутиться вокруг Маши, что все трое стопудово вернутся в гостиницу? Не бывает таких Кассандр, вот в чем дело. Значит, все это, от начала до конца, до *конца*, было спланировано белокурым монстром и его соратниками.

Quod erat demonstrandum, как говорили древние римлянцы.

Ну, ребята, готовьтесь. Машку я вам не прощу...

Он заметил, что пальцы его все еще нервно крутят загадочную записку, машинально развернул ее, прочитал... Ничего не понял, вчитался...

– И что теперь мы? – спросил Квадрат у Дюйма.

– А ты чего хотел? – раздраженно сказал судья. – Чтобы все получалось с первого раза? Эй, сибиряк, может, сознаешься все ж таки, чтоб мы зря не напрягались? Ты своих друзей упокоил али не ты?.. Сибиряк, я к тебе обращаюсь. Алло, Алексей, оглох? Леха, мать твою!..

Карташ ничего не видел и не слышал вокруг. И ничего не понимал.

Едва сложившаяся картина всего происшедшего с ним, развалилась вмиг.

На бумажке в клетку было написано от руки:

Ал-й!
я здесь
скор. вытащу
молчи
все буд. отл. и опять поедем на рыб-ку

ребенок капитана ЖИВА ЖИВА!!!

Вопль души, иначе не скажешь...

Но кто вопит?

Писалась малява в явной спешке, на какой-то мягкой поверхности – должно быть, прямо на колене, причем отвратно работающей шариковой ручкой, но почерк был характерный, летящий, с резкими завитушками у строчных «у», «з», «д», «в»... Подписи не было. Вместо нее под текстом помещалось шаржевое изображение хулиганской кошачьей морды, нарисованной несколькими резкими, отрывистыми линиями. Быстрый, небрежный набросок – но даже в этом незаконченном виде проглядывал, проглядывал сквозь котячьи черты четкий человеческий образ, причем образ знакомый и ненавистный...

Карташ словно в ступоре пребывал. Что еще за «рыб-ка»? Рыбалка? На рыбалке последний раз он был вместе с Кацубой. Ах, вот что за человек изображен в образе кота – Кацуба! Ну да, именно он, гнида... Значит, малява от него?

Хренотень какая-то... И, главное, как понимать «ребенок капитана ЖИВ ЖИВ»?!. И почему этот «ребенок капитана» подчеркнут?

Шифр, никаких сомнений. Это какой-то код. И что, Алексей должен его разгадать? И как, позвольте спросить?! Без ключа, без подсказки!

Ребенок капитана... Какого такого капитана? Гранта? Немо? Или одного из Двух Капитанов?

Да черт бы подрал эти спецслужбы с их шпиономанией! Алекс – Юстасу, мать вашу!

Ширкнула по металлу заслонка «глазка», и через секунду в замке громко заворочался ключ.

– Карташ, на выход давай! – сказал цицик. – Пальтишко возьми. Приехали за тобой...

Алексей почувствовал, как в желудке у него что-то оборвалось.

– Кто?..

– Агния Барто, блин! – рявкнул сержант. – То ли переводят куда-то, то ли еще что... Я знаю? Так что сигареты с мылом и зубной щеткой бери, если есть. Разрешено.

...Опять запиликал телефон. Родион Крикунов, вор по кличке Пастор, посмотрел на дисплей и нахмурился: номер звонившего не высветился. Он поколебался, но все же нажал кнопку с зеленой трубкой, поднес аппаратик к уху... и стал молча ждать. Если абонент хочет остаться инкогнито, тогда пусть первым и говорит.

– Родион Сергеевич, здравствуйте, – сказал в трубке веселый бархатный голос. – Вы слушаете?

Пастор почувствовал, как непроизвольно поджались пальцы ног. Он узнал этот голос. Блядь, и неужели он испугался?!

Ну... не то, чтобы испугался... но насторожился, правильно?

– Слушаю, – сказал он ровным голосом.

– Узнали, Родион Сергеевич?

– Узнал.

– Вот и славненько. Есть у меня к вам одна нижайшая просьба. Помните, с полгодика назад мы...

Несколько минут Пастор слушал своего собеседника, в нужных местах вставляя: «Да...», «Известно...», «Нет...», «Карташ? Нет, точно нет...», «Понял...» Когда разговор закончился, Родион Крикунов некоторое время без всякого выражения смотрел на погасший экранчик, потом аккуратно положил его в карман пиджака и нервно потер подбородок...

Глава 24

Глава 24

СТАРЫЕ ЗНАКОМЫЕ
И ЛИЦА НОВЫЕ

Вдоль по набережной пронизывающий ветер гнал поземку, редкие пешеходы кутали носы в воротники и, судя по всему, кляли на чем свет стоит питерскую погоду. А в салоне «газели» было тепло, хоть и накурено жутко. Когда за ними закрылись ворота «Крестов», Карташ вдруг почувствовал *свободу*. Блин, вот, оказывается, что это за сладкое слово такое...

Хотя, говоря непредвзято, никаких причин чувствовать себя на воле у Алексея не было. Всю дорогу, пока его оформляли и вели до «газели», он лелеял надежду, что в машине его встретит Кацуба. Бред, понятно, но отогнать навязчивую мысль было невозможно.

Разумеется, в салоне никакого Кацубы не обнаружилось. Все было хуже: в салоне Карташа ждал, нервно улыбаясь, следователь Малгашин в компании молчаливого безликого типа. Тип был одет в цивильный двубортный костюмчик, но разве выправку боевого пса скроешь гражданской одёжей? Так что — какая уж тут свобода... Тем более, что едва они выехали за ворота СИЗО, на запястьях Алексея защелкнулись наручники. «Так, на всякий случай. Не переживайте, порядок такой, потом сымем», – объяснил Малгашин. И откинулся на спинку креслица.

Салон «газели» был оборудован под крохотный кабинет в спартанском стиле – не иначе, для допросов: жесткие кресла вдоль стен, металлический столик с пластиковой пепельницей, привинченный к полу. Окна забраны решеткой и занавешены, равно как решетка и занавеска отделяли салон от водителя. Безликий тип сидел возле откатывающейся дверцы и тупо смотрел прямо перед собой. Точь-в-точь обдолбанный, честное слово. Хотя – дверь-то прикрывает...

– Как вам там живется? – не преминул задать дурацкий вопрос следователь Малгашин, когда «газель» стала набирать ход.

– В натуре курорт, гражданин начальник. Век воли не видать, – последовал от Карташа вполне адекватный ответ. – А куда мы, собственно, направляемся?

– Жалоб нет? На режим, на обращение, на сокамерников? – перечисляя скучным голосом, Малгашин выложил на столик зажигалку, сигареты (все то же доподлинно аглицкое «Собрание»), ручку и бумагу. – Нет? Ну и ладненько... Не бойтесь, господин Карташ, скоро вы вернетесь на свой курорт. А направляемся мы на квартиру к покойному Дмитрию Гаркалову. У нас, видите ли, появились новые данные. И требуется небольшой следственный экспериментик, ничего эдакого, уверяю вас...

– А это тогда зачем? – быстро спросил Карташ и кивнул на пакет, в который свалил бритву, зубную щетку и прочую фигню личной гигиены. – Если скоро вернемся?

– Ну, – выпятил нижнюю губу Малгашин, – а вдруг эксперимент затянется?

Карташ почувствовал легкий озноб.

Так. Что еще за эксперимент? Если он правильно понял, Малгашин имеет такое же отношение к убойному отделу, как сам Алексей – к Армии Спасения...

И куда, в таком случае, они едут?.. Будем надеяться, не в лесок под городом, где его ждет ямка в стылой земле и пуля в затылок. Для чего-то Карташ пока нужен этим типам, кем бы они не являлись. И типы явно торопились. Явно были чем-то озабочены...

Малгашин закурил сам, пододвинул пачку Карташу, жестом показал, мол, закуривай, не стесняйся. Алексей неуклюже, наручники мешали, вытащил свои – они хоть попроще, зато проверенные. Мало ли что мог подмешать в табачок гражданин начальник. И то, что он первым взял сигарету из пачки, еще ничего не доказывает. Как раз таки наоборот... Это в прошлый раз Карташ угощался без сомнений и задних мыслей – тогда он принимал гражданина начальника за простого, затюканного службой следака. Принимал... пока не появились основания считать, что не все так просто. А раз непросто – лучше поостеречься и быть начеку.

– У вас было много времени подумать, – сказал Малгашин. – Единственный плюс тюрьмы – думай себе, сколько влезет... Вы обо всем хорошенько подумали?

– Можно сказать так, что и обо всем, – настороженно и несколько коряво ответил Карташ. – Можно сказать так, что и хорошенько.

– То есть, ваши слова следует понимать, как согласие сотрудничать со следствием?

– Почему бы мне не желать сотрудничать со следствием, – хмуро сказал Карташ, – когда я невиновен, а стало быть заинтересован в установлении личности преступника не меньше, чем следствие?

Малгашин пристально и цепко глянул на него. Какое-то время поизучал, будто впервые видит. «Газель» мягко покачивалась на неровностях дороги.

– Ну ладно. Тогда... приступим, Алексей Аркадьевич? Начнем прямо здесь, не возражаете? А протокольчик столь вами любимый позже нарисуем, когда на место приедем. Насколько искренне ваше желание сотрудничать со следствием, проверить легче легкого.

Карташу вдруг пришла идиотская мысль, и он спросил:

– А позвольте полюбопытствовать: вы в каком звании?

Малгашин отчего-то насторожился и посмотрел на него, прищурившись:

– Ну, вообще-то, майор. А что?

– Да так... Всего лишь интересно.

В самом деле, мысль была идиотская. Просто из головы не шел этот «ребенок капитана» из малявы, который по какой-то причине оказался жив.

Малгашин раздраженно пожал плечами и бросил себе на колени портфель, достал из него продолговатый конверт желтой кожи, о двух кнопках. Кнопки чпокнули, отмыкаясь. Малгашин вытащил из конверта несколько фотографий, один из снимков подвинул по столу к Карташу, другие пока оставил у себя.

– Что вы можете сказать по этому поводу? – спросил следователь.

Начинается... Что там? Еще какие-то улики, забивающие последний гвоздь в гроб Карташевой невиновности?..

...Шилов заметил микроавтобус-«автозак», когда тот поворачивал на Кантемировскую, отыскал глазами и «тойоту», пристроился на расстоянии трех машин от тачки, где ждал своего часа киллер со снайперским автоматом. И мысленно водилу «тойоты» похвалил. Тот держался грамотно, на приличной дистанции, на глаза шоферу «автозака» не попадаясь, но и не упуская из виду. А потом Шилов нахмурился. «Автозак» держал курс куда-то на север Питера, в новостройки. Интересно, какого черта. Ну да и ладно. Так даже лучше – меньше машин, меньше свидетелей. Скоро все закончится и, зачистив исполнителей, он сможет наконец уехать из этого городишки. Вернуться в столицу.

Погруженный в наблюдение за габаритами «тойоты», он не видел темно-синюю «десятку», мирно катившую машинах в пяти позади.

...Алексей взял со столика снимок – обеими руками, из-за наручников, – вгляделся. Очертания предметов на фото были немного искажены, словно снимали через выпуклое стекло, но на первом плане он безошибочно узнал самого себя, бедового. А по фигурным спинкам стульев сразу признал и место. Да и без спинок вспомнил бы: в углу фотки были пропечатаны цифры, зафиксировавшие не только год, число и месяц съемки, но также и время суток. В кадр попала рука сидящей за столом рядом с Алексеем девушки – Маша, еще живая, веселая, тянулась к ножке винного бокала. Еще в кадр на заднем плане угодил человек с крупными чертами лица, с темными, коротко стриженными волосами, в черном пиджаке поверх черного джемпера. В тот момент, когда неизвестный фотограф нажал на кнопку, этот гражданин увлеченно орудовал в своей тарелке вилкой и ножом... А вот кто, интересно, фотографировал? Что-то никого с аппаратом поблизости как будто бы не наблюдалось...

И что это все значит?

– И что вы хотите от меня услышать? – осторожно поинтересовался Карташ. – В этот день мы с покойной Марией Топтуновой зашли пообедать в кафе под лично мне непонятным названием «Бестемьян», что на углу Невского и какой-то из Морских, то ли Большой, то ли Малой. Пообедали. Расплатились. Ушли. Если вас интересует, что мы заказывали, и стоимость заказа, могу припомнить.

– Стоимость заказа не интересует, – резко сказал Малгашин. – Интересует человек за соседним столиком. Во-он тот вот, жрущий на заднем плане.

– Вы что, следили за мной? – спросил Карташ.

– Может быть. Так все же – что у нас там с жующим человечком?

– Ничем не могу помочь. Я его не знаю, – сказал Алексей чистейшую правду и протянул снимок следователю.

– Оставьте пока у себя, – сказал тот и вручил Карташу еще одну фотку. – Как говорится, в том же месте в тот же час.

Действительно, все то же кафе. На сей раз камера схватила Карташа в тот миг, когда он открывал дверь... А! Это он выходил в предбанник звонить по мобильному. (Черт возьми, но кто же фотографировал?!)

И опять на снимке присутствовал тот гражданин в черном костюме. На сей раз он шел следом за Карташем и был запечатлен со спины, но это бесспорно его спина, его прическа, его костюм, его массивная шея. «Когда я звонил, он мимо меня не проходил и вообще не выглядывал в предбанник, – вспоминал Карташ обстоятельства того дня, доселе казавшегося ему самым что ни на есть рядовым. – Значит, свернул к туалетам. В чем лично я не усматриваю ровным счетом ничего подозрительного».

– И кто же это такой? – спросил Карташ, повернув снимок изображением к Малгашину.

Что-то новенькое. Какие-то новые персонажи всплывают...

– Это вы у меня спрашиваете?! Ладно. Так и быть, отвечу. Это посетитель кафе «Бестемьян». Не менее рядовой, нежели вы. Тоже, надо думать, зашел пообедать, выбрав именно это кафе совершенно случайно и наугад, – сказал Малгашин.

– Судя по вашему ироничному тону, вы пытаетесь увязать мою скромную персону вот с этой самой персоной, напрочь мне незнакомой? – впрямую спросил Карташ.

Постояв на светофоре, «газель» свернула налево и бодро покатила в гору. Через мост, не иначе. Куда ж это мы катим, а?..

Малгашин, искривил губы в улыбке, удрученно покачал головой – мол, что же вы, подозреваемый, отрицаете очевидные вещи. Тем и ограничился. Ничего не сказал в ответ, продолжал молча покуривать, сквозь дым посматривая на Карташа.

«Ну да, а что такого? Возможно, в этом-то и состояла суть задания Кацубы – оказаться в одном месте и в одно и тоже время с этим мордатым козлом, – лихорадочно думал Карташ. Дело оборачивалось новой стороной, и пока совершенно неясно было – поможет это Алексею или же усугубит и без того хреновое положение. – Да еще не просто оказаться, а засветиться перед этими вот папарацци... Ну и? И что с того?

Но вот вопрос: а чегой-то он разоряется передо мной здесь, а не на *месте*. Будто торопится куда-то...»

– Попытаюсь угадать, о чем это вы столь напряженно размышляете, – ласково сказал Малгашин, изящным щелчком по сигарете стряхивая пепел. – Полагаю, вас мучает вопрос, знаем ли мы, что это за человек оказался вместе с вами на фотографиях. Вдруг не знаем? Тогда конечно, тогда не следует спешить с признаниями, а надобно сперва долго и упорно торговаться! Правда? Что ж, так и быть, я помогу вам ускорить раздумья.

Малгашин передал Карташу два последних из приготовленных к показу экспоната. Руки его нетерпеливо подрагивали.

На первом из этих снимков Карташ снова увидел того самого мордатого гражданина из кафе. Правда, здесь Алексей узнал его далеко не с первого взгляда. Оно не мудрено – на сей раз гражданин из кафе красовался не в костюме, а в камуфляже, причем натовского образца, и лицо его было не гладко выбрито, как на предыдущих фотках, а покрыто трехдневной, по меньшей мере, щетиной. И еще очки в тонкой золотой оправе отсутствовали – а те окуляры придавали ему, что ни говори, вид респектабельный и благородный.

Фотография была сделана в армейской полевой палатке. Помимо насквозь знакомого уже гражданина в кадре присутствовал еще один персонаж, колоритный донельзя: бородатый, загорелый, тоже в натовском камуфляже, в портупее, в пятнистом берете, украшенном непонятной кокардой. Национальность по этой фотографии определить трудно, но вроде бы что-то южное, ну а по типажу – типичный ваххабит, как их показывают по телеку, хоть сейчас без конкурса записывай в отряд к Шамилю Басаеву. «Ну и друзей себе подобрал мой кафешный приятель. Интересно, а сам-то он кто тогда?» При взгляде на снимок с палаткой, напрашивалось еще одно умозаключение: если у бородатого вид самый что ни на есть полевой, то «кафешный приятель» – парень скорее заезжий, это гость бородача, скорее всего. Или же вся сцена вообще может быть инсценировкой, вдруг пришло в голову Карташу. Уж больно все новое: палатка, форма, валяющиеся на столе карта без следов сгибов, лампочка над столом не захватанная...

Алексей без комментариев отложил снимок с палаткой и взял следующую фотографию. На ней он увидел своего знакомого (уже, наверное, следует говорить: «старого знакомого») совсем в иной обстановке. Улица какого-то европейского городка, старинная булыжная мостовая, машины... ага, с правым рулем. Англия? Похоже. Все тот же персонаж, только на этот раз не в черном костюме и не в камуфляже, а в серой рубашке с короткими рукавами и в легких, кремового цвета брюках. В руках кейс, на голове лихо заломленная летняя шляпа с дырочками. Человек переходит улицу, на другой стороне которой можно разглядеть кусочек вывески с буковками: «...ATIONAL BANK OF...».

Что ж... Пасут товарища основательно, следует признать. И видимо, «папарацци» уже давно висят у товарища на хвосте. Отсюда вывод: между некими силами не первый день идет некая сложная игра. Но только причем тут, дьявол вас всех раздери, старший лейтенант ВВ Алексей Карташ? И причем тут эти фотографии?

Как бы то ни было, если он попал в лапы *конторы*, это следовало использовать на всю катушку. Подписывать что угодно и соглашаться на что угодно. Но не сразу, а помучавшись угрызениями и выторговывая себе материальные блага. Главное – вырваться на свободу, а там видно будет. Вряд ли хозяева Малгашина все из себя как на подбор добрые, сердечные и благороднейшие люди. Да точно такие же они, как Кацуба и компания, для которых светлые и, без сомнения, святые цели превыше жизни какого-то там Карташа. Только из другой они конторы, и цели у них другие... Или даже, вполне может статься, цели у них те же самые, да и методы работы такие же. Но, как говорят англичане, знакомый черт лучше незнакомого.

А принадлежность Малгашина к *конторе*, неважно которой, но несомненно силовой, сомнений не вызывала. Уже не вызывала... Однако вот какая была закавыка: вполне возможно, что Малгашин и стоящие за ним люди действуют сами по себе и в строжайшей тайне от коллег. Примеров, знаете ли, хватает. Иначе почему Карташ сидел в «Крестах», а не, скажем, в фэ-эсбэшной тюрьме? Уж не потому ли, чтобы держать его подальше от своих коллег... Или потому, что из другого места Кацубе сотоварищи до него было бы гораздо сложнее добраться? И не потому ли его столь спешно перебрасывают на новое место?..

Малгашин нервничал, но внимательно наблюдал за реакцией Карташа. И чего он, позвольте поинтересоваться, ждет? Что лицо подозреваемого перекосит неподдельный ужас, он выронит снимки и отшатнется от стола с воплем: «Не может быть! Как вы узнали?!»

– Потрясающе интересно, – сказал Карташ, отдавая фотографии Малгашину.

– Налюбовались? – на этот раз следователь Малгашин снимки забрал и быстро упрятал в желтокожий конверт. – Значит, вы убедились, что личность данного человека не станет предметом торга.

На это Карташ лишь развел руками, насколько позволяли браслеты – мол, что поделаешь, не повезло мне на этот раз, будем ждать раза следующего.

В голове назойливо крутилось: «Ребенок капитана жив, жив...» Может, речь о чаде этого типа с фотографий? А с какой стати?.. Нет, стоп, в маляве было написано, что ребенок не жив, а *жива*. Значит, речь о ком-то или чем-то женского рода. Дочь капитана? Кто такая? Еще одно действующее лицо?..

– Признаться, сперва у нас возникли сомнения, – продолжал Малгашин. – Почему именно вас выбрали для контакта с... давайте называть его Фигурантом. При поверхностном взгляде на вашу персону появлялось лишь одно недоумение. Но вскоре мы обнаружили ответ – его нам подарило углубленное знакомство с фактами вашей бурной биографии. Вы не помните такого полковничка по имени... – одним глазом он покосился в бумажки, – Язберды Чарыев? Нет? О, сейчас это большой человек в туркменском КНБ. А он, между прочим, вас помнит и весьма лестно о вас отзывается. Жаль, говорит, не попрощались толком, не обнял я его, как брата, не поблагодарил за спасение нашего Туркменбаши. Очень умный и хитрый, говорит, этот Карташ. Только скромный очень, говорит, зачем убежал, зачем не подошел за наградой, которую заслужил?.. А и вправду, объясните-ка мне, неученому, почему и зачем человек бежит от заслуженной награды? Может быть, на самолет опаздывает? Нет, не торопится он на самолет. Потому что господин Карташ в ближайшие дни появляется в доме... – еще взгляд в шпаргалку, – хякима Карыйского велаята Батыра Мемметова, который, к слову говоря, гибнет при весьма странных обстоятельствах, мало согласующихся с официальной версией об автомобильной катастрофе. И тут же господин Карташ вновь пропадает самым таинственным образом. А среди туркменских знакомых господина Карташа фигурируют личности, мягко говоря, неоднозначные. Ваши туркменские знакомства, Алексей Аркадьевич, никак нельзя назвать заурядными и рядовыми. Да и уровснь, на котором вы крутились в азиях-с, вполне, что называется, соответствует...

Ах, вот откуда ветер дует и где собачка-то порылась!..

Нет, не хотело прошлое отпускать Алексея, как кошка играло с ним: то разожмет коготки, давая мышке-Карташу на миг почувствовать себя свободной, то снова придавит... Из уже забытой, казалось бы, жизни, вновь выглянули знакомые рожи. Неприметный «товарищ полковник» Язберды Чарыев, который выставил Алексея в первый круг охраны Туркменбаши во время Праздника праздников на площади Огузхана... Толстый, лысый и абсолютно голый Батыр Меммедов, ставленник предателя Саидова...

«Может, вы и о платине знаете? О пугачевском бунте, шантарском сходянке, о Глаголеве и его ведомстве?..» – так подмывало спросить Алексея. Только кто ж ему ответит... Единственный, кто выпадал из этой коллекции, был человек с фотографий. Уж его-то Карташ точно не встречал на своем боевом пути. Ну и кто ж это такой, позвольте спросить? Ключевая фигура или очередная пешка?..

Мотор «газели» работал тихо и ровно. Чувствовалось, что это не какая-нибудь там «маршрутка», что за машиной ухаживают.

Минуточку. Что-то такое мелькнуло. Какая-то смутная ассоциация. О чем это мы сейчас думали? Платина, бунт Пугача, сходняк...

— И вот что особенно любопытно, — якобы безразличным тоном вещал меж тем Малгашин, очень отвлекая от мысли. — В это же самое время, когда вы вояжировали по Туркменистану, наш Фигурант тоже совершил поездку в одно из сопредельных с Туркменией государств. А если учесть стойкий интерес Фигуранта и тех, кто за ним стоит, к среднеазиатскому региону... Получается, мы имеем еще одно совпадение с участием все того же неприметного господина Карташа... В общем и целом становится ясным, почему именно вас выбрали для установления контактов с Фигурантом.

Опаньки! Карташ, мигом забыл об ускользающей ассоциации и послании Кацубы. Чтобы потянуть время, вытащил сигаретку, неторопливо прикурил. В «газели» и без того было накурено, хоть алебарду вешай, ну да наплевать. Вот это номер, а? Его, скромного старлея, пешку в игрищах Больших Контор, принимают черт-те за кого. Считают самостоятельной фигурой... Ну, не то, чтобы вполне самостоятельной, не ферзем и даже, наверное, не ладьей, однако ж – *фигурой*.

И что, собственно? Радоваться по этому поводу или огорчаться? Дает ему подобный расклад что-нибудь или же, наоборот, отнимает? И поди сообрази, какую стратегию избрать. Ну пока, наверное, все ж таки выжидательную...

...В конце концов, неторопливая погоня начала утомлять. Николай Ляпунов, начальник охраны казино и владелец записи разговора между Шиловым и работником «Крестов», поерзал на пассажирском сиденье темно-синей «десятки». Они уже свернули на Гражданский проспект и теперь, следом за серой «шкодой», ехали куда-то к границам города. И Ляпунову это не нравилось. Хитрый Шилов, что ли, заметил слежку и теперь водит его нос? И не лучше ли будет предъявить Шилову запись в более располагающей обстановке? Он-то думал, что вот так, в машине, без свидетелей и на нейтральной территории, все пройдет гладко и спокойно... Значит, ошибался. Ладно, еще пара километров, и хватит. Пусть ребятки продолжают следить за «шкодой», а он на своих двоих вернется. И подождет до следующего раза.

Ребятки — двое охранников из того же казино, при оружии и абсолютно официальных на него разрешениях — сидели смирно, как вышколенные собаки в ожидании команды «взять». Кем они, собственно, и являлись.

Глава 25

ВООРУЖЕН И ОЧ-ЧЕНЬ ОПАСЕН

Малгашин с нервным любопытством наблюдал за манипуляциями Алексея, потом сказал жестко:

– Итак, Алексей Аркадьевич, первое, что я хотел бы от вас услышать – это обстоятельный рассказ о том, какое вами получено задание относительно Фигуранта и какими выходами на него вы располагаете.

– Странно, что вас не интересует, от кого оно получено, – отстраненно заметил Карташ, мыслями возвращаясь к записке.

Итак, дочь капитана... А, вот в чем ассоциация: Пушкин. «Капитанская дочка» у Александра Сергеича – и пугачевский бунт на зоне под Пармой. Там Емельян Пугачев, а здесь авторитет Пугач. Но на этом все сходство и заканчивается! И что дальше?..

– От кого получено – это я примерно представляю, – сквозь зубы процедил следователь. – Впрочем, и на эту тему мы поговорим, но чуть позже... Ну?

«Что ж ты мне нукаешь, сука...» – устало подумал Карташ. Очень трудно было поддерживать беседу на абсолютно непонятную тему и одновременно думать над головоломкой Кацубы. А думать над ней было необходимо. Если записку прислал именно он...

Ситуация в очередной раз перевернулась с ног на голову. Узнав о Давыдове и его *кураторах*, Алексей уверился, что *акция* в «Арарате» была спланирована людьми Глаголева. Потом приходит письмо, в котором Кацуба отчетливо намекает на непричастность конторы к посадке Карташа. А теперь... А теперь все указывает на то, что глаголевцы все ж таки использовали его. Как живца – для ловли таинственного Фигуранта.

А если малява – провокация, дело рук Малгашина и стоящих за ним *структур*? Что тогда получается?..

Екнуться можно, честное слово.

– Слушайте-ка, Малгашин... – бессильно сказал Карташ, – товарищ следователь... Или господин?

– Скорее уж – гражданин, – ухмыльнулся Малгашин.

– А вот это дудки. Гражданином следователем вы станете, когда я из категории «подследственный» перейду в разряд «обвиняемых». А обвинительного заключения я что-то пока не вижу. И адвоката своего не вижу. Равно как не наблюдаю материалов дела, с которыми вы обязаны меня знакомить, не подписываю протоколы, которые вы обязаны вести при разговоре со мной, не езжу на экспертизы и прочие следственные эксперименты... Могу ведь и пожаловаться, господин *следователь*.

– Это вы на что намекаете, милейший, говоря «следователь» со столь явным подтекстом? – ничуть не смутился Малгашин и ногой отодвинул мешающийся пакет с мылом и зубочистными принадлежностями.

И даже улыбнулся – снисходительно так. Типа, ну да, никакой я не следователь из убойного отдела, я шишка побольше, но что ты, сявка, против меня сделать-то могёшь?

– Я намекаю на то, что мы отчего-то совсем не беседуем о происшествии в «Арарате».

– А чего о нем говорить, наговорились уже, – пожал плечами Малгашин. – Вы и убили-с. Порешили, так сказать, и раба божьего, и подругу его случайную. Мене, текел, упрасин. Что означает: «расследовано, доказано, запротоколировано». Так что вы, душа моя, вы убивец и есть-с, никаких сомнений...

– Потому-то я и хотел, – стараясь говорить спокойно, сказал Карташ, – чтобы меня держали в курсе. Что именно расследовано, что доказано, что запротоколировано? Мне это, знаете ли, небезразлично.

– Вы что, еще не поняли, в какой ситуации оказались?

Ага, старина Малгашин, кажется, начал терять терпение. Ну надо же.

– С материалами я ознакомлю, но вот чего мы не будем сегодня делать точно, так это возвращаться к прошлому разговору. Почему-то мне кажется, что никто не забыт и ничто не забыто... И нам обоим хорошо известно, что произойдет в том случае, если у нас сегодня не выйдет полного и окончательного консенсуса. В этом случае на мое место придет другой... *следователь*, который уж точно либеральничать не будет, а в два счета оформит дело и передаст его в суд. Все, закрыли эту тему.

...А «Капитанская дочка» никак не шла из головы. Карташ напряг извилины, с трудом вспоминая, в чем там была фишка. Какой-то тип вроде бы приезжает служить на какую-то заставу, ссорится с каким-то другим типом, а потом накатываются отряды Пугачева и начинается махач. Как этого типа звали?

– Чтобы окончательно прояснить картину, посмотрим с другой стороны, – нудел Малгашин. – Нарисуем диптих, так сказать. Один вариант развития событий уже известен, а что на другой чаше весов? В смысле, как сложится жизнь, если у нас таки выйдет полный и окончательный консенсус? Во-первых, в самое что ни есть ближайшее время ты будешь на свободе, под подпиской о невыезде. И навсегда исчезнешь из поля зрения органов – под «органами», впрочем, я подразумеваю исключительно те, кои исправно подчиняются родному МВД. Причем никто искать тебя не станет, о тебе забудут, а в скором времени дело закроют и никогда к нему не вернутся. Каким образом – это, прости, не твои проблемы. Во-вторых, ты будешь заниматься тем же, чем занимался. То есть заданием по Фигуранту. Даже твой *хозяин* не поменяется... Вот разве что хозяев у тебя отныне будет двое. «Труффальдино из Бергамо» смотрел? Именно в таком разрезе. А который из двух господ главнее, думаю, объяснять не надо? Не надо, умничка. И все! И больше ничего, совершенно ничего не поменяется, слово офицера. А условия твоего контракта в той его части, где прописано вознаграждение за труды, может быть, даже улучшатся. Что еще?

– Да вроде все понятно, – сказал Карташ, неспешно гася окурок и выметая из мыслей Пушкина со своей треклятой «Капитанской дочкой». После подумаем над шифровкой, сейчас не до того. Сейчас важно понять, куда его везут и что собираются с ним делать. – Но чтобы прояснить картину вовсе уж окончательно, как *ты* изволил выразиться, хотелось бы узнать, кто ты на самом деле? Не лично ты, понятно, а какую силу представляешь. А то, получается, ты меня знаешь, я тебя нет.

– Я представляю ту единственную силу, что способна вытащить вас из этой передряги, – постукивая пальцами по столешнице, произнес Малгашин.

Раунд, похоже, выиграл Карташ, поскольку следак фамильярничать перестал и вернулся к обращению на «вы» – плавненько и аккуратно, точно так же, как и начал «тыкать».

– Думаю, большего вам знать и не требуется.

И только тут Алексей понял, что Малгашин боится. Примитивно боится опоздать. Будто люди Кацубы уже на подходе и вот-вот отнимут лакомый кусочек у конкурентов. Неужели он знает о маляве?..

– Почему же не требуется, очень даже требуется, – обезоруживающе улыбнулся Карташ, развивая успех. – Не могу же я доверяться кому попало! А вдруг вы Чикатила какая-нибудь? Я к вам, можно сказать, со всем сердцем, а вы меня потом чирик по горлу... У меня ж пиковая ситуация, которая требует хирургической точности выбора. Тут чуть ошибись – и звиздец, а назад выбор будет уже не переиграть... Представьте себе, что у меня появились нешуточные подозрения, будто вы лишь выдаете себя за облеченную полномочиями фигуру, а на деле – так, пшик без палочки. Так что уж потрудитесь предъявить полномочия, покажите верительные грамоты, – глядишь, я со всем пылом брошусь в ваши ласковые объятия.

– Вам недостаточно предъявленного? – Малгашин ткнул пальцем в желтокожий конверт, лежащий на столе. – Кажется, вы вполне могли оценить наши возможности!

– А вот и недостаточно, – упрямо повторил Карташ. – Я хочу удостовериться *железно*. Чтобы не осталось ни малейшего сомнения. Чтобы с выбором не ошибиться.

– Не могу понять, чего вы добиваетесь, – вздохнул Малгашин, зло давя в пепельнице недокуренную сигарету. Пепельница была уже полна. – Неужели вы не понимаете, что вашим хозяевам уже не добраться до вас? Вы, дорогой мой, можете считать себя пропавшим без вести... если, конечно, мы не договоримся.

Гринев, вот как его звали!!! Как это обычно и бывает, напрочь не вспоминающееся слово тут же всплывает в голове, стоит только отвлечься от него. Петя Гринев, герой пушкинской «Дочки». Ну и что?..

Ох, бля...

...Шилов увидел, как притормаживает «тойота», а потом заметил, что и «газель» впереди приняла влево и остановилась у обочины. Они уже находились на Суздальском проспекте, малолюдном и маломашинном, лишь проносящиеся фуры иногда нарушали сонное одиночество шоссе. Шилов шумно перевел дух. Ну вот и финита. Прощай, товарищ Карташ. Он притопил тормоз и плавненько припарковался за небольшим изгибом дороги, метрах в тридцати от места основного действия. Отсюда его, в сером автомобиле на фоне серого питерского снега, видно не было, к тому же снег, сметенный с проспекта, образовывал форменные бруствиры по обе стороны проезжей части, и за ними не то что «шкоду» – танк можно было спрятать. Зато он видел все.

Испугаться он не успел. Все внимание Шилова было приковано к «тойоте» и «автозаку».

Расслабился, твою маму, потерял бдительность, забыл, что обстановку нужно сканировать непрерывно! Вот и получай.

Как и большинство владельцев тачек с центральным замком, обычно он не закрывал двери изнутри, поэтому дверца со стороны пассажира распахнулась беспрепятственно, и в салон проник невысокий кряжистый мужик. Оружия в руках у него не было, но это еще ни о чем не говорит, тем более, что снаружи остались маячить два лба весьма спортивно-стрелкового вида.

— Не беспокойтесь, Леонид Викторович, — быстро сказал визитер, пока Шилов лихорадочно шарил под левой подмышкой, и показал ему свои пустые ладони. — Я не враг, я не вооружен, я не хочу вам мешать, я не отниму у вас много времени. Меня зовут Ляпунов. Николай Ляпунов, мы виделись с вами несколько раз...

Лбы тем временем топтались неподалеку, разбив окружающий мир на сектора и пася каждый свою часть. Толково пася, кстати говоря. И, кстати говоря, чутко прислушиваясь к разговору в салоне — переднее пассажирское окно было малость приоткрыто.

А «тойота» тем временем на нейтралке медленно подкатывалась к «автозаку».

Блин, как все не вовремя-то!.. Это что еще за хрен с бугра?!

— Ты кто такой? — грубо спросил Шилов.

— Я хочу работать на вас, — спокойно и просто ответил Ляпунов.

— Че ты хочешь делать?! — Шилову показалось, что он ослышался. Не, ну да, самое время нанимать каких-то идиотов!

— Работать на вас. Здесь, — незваный гость хладнокровно протянул ему аудиокассету, — мною записан ваш разговор с неким Константином Захарченко. Думаю, это, а так же тот факт, что я позволил себе найти вас и встретиться, есть достаточное доказательство моего профессио...

Шилов смотрел на него как на привидение.

Яростно взвыли прокручиваемые колеса, днище «газели» окуталось сизым дымом горящих покрышек, и микроавтобус тылом рванулся в сторону «тойоты».

Ляпунов издал булькающий звук.

...«Автозак» продолжал шуршать шипованными шинами по заснеженной улице, а в голове Карташа словно лампочка вспыхнула. Словно он нашарил наконец выключатель в темной комнате и вспыхнул яркий свет. И можно было поздравить себя с тупоумием, поскольку ответ лежал на поверхности...

Удушливая волна окатила Алексея с ног до головы, по спине даже побежали струйки пота. Стараясь, чтобы этот жест выглядел естественно, изо всех сил стараясь выглядеть естественно с ног до головы, Карташ поднял руки и стер пот с лица.

— Жарко? — с напускной участливостью спросил Малгашин.

Карташ смог лишь кивнуть.

Нет, погодите. Стойте-ка. То, до чего он додумался, запросто может оказаться лишь плодом воображения, выдачей желаемого — всей душой желаемое! —

за действительное. Он расшифровал маляву именно так, а Кацуба, вполне вероятно, имел в виду нечто совершенно другое. Но...

Но, дьявол, почему бы и нет? Как бы это ни было невероятно, *почему бы и нет*?!

Пушкинский Петя Гринев – и Петр Гриневский по кличке Таксист из зоны. Рецидивист Пугач – и Пугачев у Пушкина. Гринев помог Пугачеву во время снежной бури – Гриневский отвез Пугача в больницу. И оба встретились потом во время бунта. И там, и там бунт...

И там, и там у коменданта крепости (читай – «у начальника ИТУ») имелась дочка. У Пушкина Маша Миронова, в реальной жизни – Маша Топтунова. *Капитанская дочка*. Ребенок капитана.

Выдумка и действительность пересекаются значительно чаще, чем мы думаем. Достаточно вспомнить Свифта с его предсказанием спутников не то Марса, не то Нептуна, или мужика, который описал устройство и гибель исполинской посудины («Атлант» она, что ли, называлась?) задолго до «Титаника». Почему бы и не случиться, чтобы в двадцать первом веке повторилась история, рассказанная в веке девятнадцатом – хотя бы не дословно, хотя бы в некоторых деталях...

Бли-ин... Что ж это получается?

Получается, Кацуба хотел сказать, что Машка жива?!! Как?..

Бред, ну форменная шиза! Он же собственными глазами видел...

Нет, не удалось Карташу сохранить лицо. Малгашин смотрел на него со все растущим подозрением, потом, точно вспомнив что-то неимоверное важное, резко хлопнул ладонью по решетке кабины и выкрикнул:

— Гоша, ну-ка притормози на секунду!..

«Газель» послушно вильнула к обочине, а тип у двери, про которого все забыли ввиду его абсолютной неподвижности, напрягся и потянул граблю куда-то под куртку.

Малгашин же ствол выхватил, передернул затворную раму, досылая патрон в патронник, наклонился к Алексею и процедил с яростью, отбросив все свои маски и всю свою доброжелательность:

— Слушай, ты, орел! Не знаю, что ваши задумали, но скажу тебе так: у меня есть прямой приказ открывать огонь на поражение, если ты, сопляк, хоть дернешься. Ясно? Думаешь, твои хозяева помогут тебе? Мы тебя упакуем так, что никакой Мухтар с миноискателем не найдет. Думаешь, тебя вытащит твой Шилов, который ошивается вокруг «Крестов»? Ха! Ты в «Кресты» уже не вернешься, понял? На нашей «точке» будешь куковать и думать, пока не надумаешь... Так что сиди и не рыпайся, говно, не то я живо...

Вот чего, оказывается, боялся Малгашин, вот почему Алексея спешно _вынули_ из «Крестов»: недруги почувствовали некоторое шевеление вокруг бедового старлея и поторопились переместить его на другую _квартиру_, дабы друзья до него не добрались. Как будто он знает нечто такое, что жизненно важно узнать и хозяевам Малгашина.

И что же это такое, мать вашу сквозь решетку?..

Карташ не успел спросить, кто такой Шилов. Не успел он и ничего ответить. Гоша за рулем вдруг заорал что-то, движок «газели» взревел на зашкаленных оборотах.

И за Алексея ответил огонь на поражение.

...Леонид Шилов ошибся в главном. Если б в «автозаке» находились конвоиры из срочников, из простых «вэвэшников», у них и у Карташа в самом деле не было бы ни малейшего шанса. Пуля со стальным наконечником, выпущенная из СВУ-АС, покидает дуло со скоростью восемьсот метров в секунду и с расстояния в километр пробивает кевларовый бронежилет. А что произойдет с отнюдь не бронированным микроавтобусом, расстреливаемым почти в упор? То-то.

Но за рулем «газели» сидел боец, натасканный аккурат на такого рода неприятности, хоть в данный момент, разумеется, и не ожидавший прямой атаки посреди питерского проспекта.

Все заняло не более восьми секунд.

Когда притормозившая было «тойота» стала резко набирать скорость, идя на обгон, водитель, названный Гошей, заметил в зеркале заднего вида, как из открытого окна «тойоты» высунулся ствол автомата, и поступил единственно возможным в таких условиях образом.

Если б он выскочил наружу, то, вероятно, уцелел бы, но подставил пассажиров под прицельный автоматический огонь. Если б он рванул вперед, пытаясь уйти из-под обстрела, «газель» через минуту превратилась бы в груду искореженного металла, прошитого насквозь очередями.

Поэтому, выкрикнув: «Нападение!!!», – Гоша рывком перебросил передачу на задний ход и втопил педаль. Завизжали шины, повалил дым и тут же завоняло горелой резиной. Микроавтобус вильнул, прыгнул назад, навстречу «тойоте», и смачно влепился ей в нос. Бац! Два разнонаправленных вектора скоростей сложились, удар получился будьте нате. Серый капот выгнуло домиком, лобовое стекло лопнуло, и осколки окрасились багровым. Оба авто вынесло на середину проспекта.

К чести конвоиров, просекли ситуацию они значительно быстрее Карташа. Несколько резиновых мгновений тот вообще не мог сообразить, что происходит – показалось, взорвалась бомба. Вот буквально только что Малгашин тыкал ему в нос стволом и грозил каким-то непонятным Шиловым, а уже в следующий миг «газель», в полном соответствии со своим именем, совершает неожиданный прыжок, причем кормой вперед, и неведомая сила швыряет Карташа грудью на стол, в сторону кабины, порхают фотографии, снарядом врезается в стену пепельница, орошая все и вся окурками и пеплом. А потом «автозак» со всей дури врезается во что-то, Карташа отбрасывает обратно и плотно припечатывает плечом о какой-то металлический поручень, на хрен здесь не нужный... Счастье еще, что ничего серьезно себе не повредил, со скованными руками да столь внезапно – мог бы запросто.

Псевдоследователю Малгашину досталось больше. Первым рывком его скинуло с креслица на пол, а вторым долбануло лбом о край столешницы. Следак сполз на пол, однако ствол не выронил и, страшно перекосившись лицом от заливающей правый глаз крови, не поднимаясь, взял Карташа на прицел... Ну, об этом чуть позже.

Так вот, о конвоирах. Гоша на своем месте сделал все, чтобы хоть временно дезорганизовать вооруженного автоматическим оружием противника. Второй тип, тот, что безымянный и безликий, который сидел в салоне возле дверцы, вел себя не менее достойно. Когда корма «газели» впечаталась в нос «тойоты», он оказался уже на ногах, словно не было ни внезапного рывка, ни удара о машину, и в руке его, неведомо откуда и каким образом, появился пистолет. Не тратя времени на разговоры, он одним рывком распахнул дверь и рыбкой скользнул наружу. Упал грамотно, перекатился и из положения лежа открыл огонь.

Одновременно с ним открыл огонь и киллер; несколько коротких, по два-три патрона, трескучих очередей прошили салон «автозака» навылет.

И одновременно с ним Малгашин нажал на спусковой крючок пистолета, нацеленного прямо в лицо Карташу.

...Шилов выругался, громко и матерно, и жахнул обеими ладонями по рулю. Ну почему, почему он не выбрал какой-нибудь простенький гранатомет?! Один выстрел, и все было бы решено! А так...

Дверцы обеих машин, «газели» и «тойоты», открылись почти одновременно, спустя какую-то секунду после удара. Киллер кулем вывалился из автомобиля, вскинул автомат. В воздухе раздалось сухое «так-так-так!.. так-так!.. так-так!..», и было отчетливо слышно, как пули с глухим стуком впиваются в борта «автозака». Конвоир тоже начал пальбу – у него, оказывается, был ствол, откуда у него ствол?! – и по крайней мере одна пуля попала в плечо киллеру. Автоматчика развернуло, будто его задел проносящийся мимо на огромной скорости невидимый поезд, но оружие он не выронил: следующая очередь пригвоздила охранника из «автозака» к асфальту. На сером фоне прекрасно были видны фонтанчики ярко-алой крови, вырываемые из тела. Лопнула продырявленная шина «газели», и микроавтобус осел набок.

Но не один же там охранник! Ага, вот и водитель нарисовался, и тоже вооруженный! С другой стороны «газели», в слепой зоне киллера!.. Стреляет! Автоматчика отбрасывает на изуродованный капот «тойоты»!

Ляпунов сидел, вжавшись в сиденье, и был лицом сер.

– Что... что... – тявкал он трясущимися губами.

Тут около «газели» показался еще один персонаж...

– Что?! – обернулся к пассажиру Шилов и вдруг схватил за грудки, зарычал: – А вот что! Ты хотел ко мне на работу?! Вот и работай, сука! Убей его!

Ляпунов смотрел на него, ни хрена не понимая.

Тогда, коротко размахнувшись, Шилов дал ему кулаком в рыло. Голова Ляпунова дернулась, он икнул, и взгляд его прояснился.

– Я беру тебя на работу, беру! – орал Шилов. – Пусть твои шавки убьют его!

– Кого?..

– Всех, блядь!!!

Ляпунов не привык раздумывать над приказами. И по его сигналу ребятки снаружи, при первых же выстрелах оголившие пушки, принялись споро выцеливать объекты.

...Удивительно, но факт: первые очереди, продырявившие «газель» насквозь, не задели ни Карташа, ни Малгашина. Возможно, киллер еще не пришел в себя после столкновения и не смог сходу начать кучную стрельбу.

Так это было или нет, осталось неизвестным, зато совершенно точно, что легкое сотрясение мозгов заработал Малгашин. Глаза его никак не могли сфокусироваться, к тому же их заливала кровь... И только это спасло Алексея.

Пуля, выпущенная из ствола фальшивого следователя, цвиркнула над головой мигом пригнувшегося чуть ли не к самому полу Карташа и со звоном влепилась в потолок. А нажать на курок вторично Карташ ему не дал. Под скованные руки попался валяющийся на полу чертов полиэтиленовый мешок с умывальными принадлежностями, и Алексей наотмашь двинул им Малгашина по голове, а потом от души добавил обеими запястьями, утяжеленными наручниками. Вытащил из ослабевших пальцев гадского силовика ствол и обернулся к двери. Раздалось оглушительное шипение, заглушившее непрекращающуюся пальбу, и «газель» накренилась на левый борт.

Кто напал на «автозак», почему и что хотел – выяснять это у Алексея не было ни времени, ни возможности, не желания, равно как не было и желания попасть под пулю. Прицельную или шальную – неважно. Позже разбираться будем, друзья или враги предприняли столь наглую акцию посреди города.

Он глубоко вдохнул, выскочил из «газели», на автомате качнул «маятник», сбивая прицел невидимого противника, и метнулся под прикрытие «автозаковсого» борта. Замер. Машинально опустил отобранный ствол в пакет, которым метелил Малгашина и который сам не заметил, как прихватил с собой. Просто не догадался раньше разжать пальцы. А ствол в него сейчас бросил, дабы не светить. «Браслеты» не каждый прохожий заметит, а вот волыну в руках... Он быстро огляделся.

Ага, отнюдь не в центре города произошло нападение! Слева от дороги унылыми рядами тянулись серые гаражи, за ними торчали верхушки голых деревьев – не то лес, не то парк. Справа тонули в снегах двухэтажные корпуса, с виду заброшенные. Фабрика? Станция ТО? Склады? Плевать. Нам туда дорога. Автоматная пальба стихла, зато ее сменили отдаленные хлопки пистолетных выстрелов. Из двух волын садят, – машинально отметил Алексей. И, мысленно перекрестившись, сжимая пакет со стволом, прыгнул за полосу сугробов, окаймляющих дорогу. Приземлился удачно, вскочил и зигзагами бросился к строениям. Мешок раздражающе лупил по коленям.

– Стоять! Куда, сука?! – ударил в спину вопль Гоши. Краем глаза Карташ засек его – используя кузов разбитой «тойоты» в качестве прикрытия, водитель равномерно и четко, пулю за пулей посылал вдоль шоссе. В сторону человеческих фигур, расположившихся неподалеку от серой иномарки.

Алексей, разумеется, не остановился и не стал выяснять, чьи это хлопцы и чего им надо.

...Он сидел прямо на снегу, в закутке меж пустующими строениями, привалившись спиной к холодной стене из силикатного кирпича и закрыв глаза. Он дышал неожиданно свалившейся на него волей. И не знал, что с ней делать. Он пытался думать. Последнее получалось, прямо скажем, не очень. Все произошло так быстро и неожиданно, что для оценки случившегося просто не было времени и информации. А сейчас он мог оценить разве что только свое нынешнее положение.

Каковое было еще хуже.

Карташ с ненавистью посмотрел на треклятый пакет, в который еще там, в камере, он переложил мыло, бритву и *зубную пасту* со щеткой из мешка «Максидом» – последней передачи от неизвестного благодетеля, а теперь сунул туда еще и ствол. Лучше бы вместо пакета сигареты не забыл, идиот! Полупустая пачка осталась там, в изничтоженном микроавтобусе. Курить пока не хотелось, накурился в компании с уродом Малгашиным, но ведь это вопрос времени, не правда ли?..

Стрельба на проспекте давно угомонилась – пес знает, кто там победил, наши или немцы. Но вокруг пока все было тихо. Если уцелевшие в перестрелке и ищут его, то явно сбились со следа. То бишь, с отчетливых его следов на снегу. Что не удивительно: Карташ столь витиевато их, следы в смысле, запутывал, что отыскать его можно только разве с теплодатчиком. А может, и нету уцелевших, может, положили друг друга в борьбе за тело отчего-то очень нужного им Карташа.

Наконец сердечко угомонилось и мысли пришли в относительный порядок.

Итак. Что у нас получается?

Получается, что в активе у нас только ствол, нежданная свобода и – кой-какие вещички, чтоб помыться-побриться: крайне необходимые в сложившейся ситуации!

Зато в пассиве имелся целый вагон неприятностей. Карташ был один. В городе, где нет ни одной знакомой собаки. В совершенно незнакомом районе этого самого города. Без документов, сигарет, еды и денег. Зато в наручниках. Кроме того, наверняка все менты и *службы* вот-вот будут подняты на уши по тревоге и примутся с азартом рыть носом питерскую землю, дабы найти вооруженного убийцу, сбежавшего из-под стражи. Очаровательная перспективка...

Но самое главное: записка Кацубы. И то, если Алексей правильно разгадал его шифр, что Машка жива.

Как такое может быть, сие пока неважно.

Важно – что жива.

Жива.

А значит что?

Значит – продолжим, господа!

Для чего даешь мне видеть злодейство и смотреть на бедствия? Грабительство и насилие предо мною, и восстает вражда и поднимается раздор. От этого закон потерял силу, и суда праведного нет: так как нечестивый одолевает праведного, то и суд происходит превратный...

Аввакум, 1,3 – 1,4

СОДЕРЖАНИЕ

Александр Бушков

ПОД СОЗВЕЗДИЕМ
СЕВЕРНЫХ «КРЕСТОВ»

Серия «Воровской закон»

Ответственный за выпуск:
Е. Г. Измайлова
Корректор *Н. И. Концевая*
Оформление обложки *И. А. Андреев*
Верстка *А. Б. Ирашина*

Подписано в печать 28.04.05
Формат 84×108$^{1}/_{32}$. Гарнитура «Times»
Печать офсетная. Бумага газетная
Уч.-изд. л. 8,9. Усл.-печ. л. 16,8
Изд. № 05-0056-ВЗ. Тираж 38 000 экз. Заказ № 4183

Издательский Дом «Нева»
199155, Санкт-Петербург, ул. Одоевского, 29

Отпечатано в полном соответствии с качеством
предоставленных диапозитивов в полиграфической фирме
«Красный пролетарий»
127473, Москва, ул. Краснопролетарская, 16

Б.К. СЕДОВ

Слишком жестока. Слишком опасна. Слишком умна

КИЛЛЕРША

Я не хотела убивать

Когда к другой уходит любимый, потому что она – богата, а ты – нет; когда одна в чужом городе с ребенком под сердцем; когда мечты втоптаны в грязь, выход один – месть!

Лика переступила черту, теперь над ней нет закона, и она сама судья и палач.

Слишком жестока. Слишком опасна. Слишком умна.

Я ненавижу

Став невольной убийцей, Лика не рассчитывала, что на чужой смерти можно неплохо заработать. Ее услуги пользуются бешеным спросом. Но однажды Лика сама стала мишенью для бандитов: после выполнения очередного заказа ее должны зачистить. Смерть поджидает не только Лику, но и ее мать. И Лика должна спасти ее – самое святое, что у нее есть!

Я люблю

Расправившись со своими прежними «хозяевами», Лика бежит в Германию. Кажется, кровавая карьера позади. Но прошлое внезапно дает о себе знать: Лика встречает человека, виновного во всех ее бедах. Того, кто когда-то предал и оставил ее. Того, из-за кого она стала киллершей! Он жалок и унижен, и просит о помощи – только Лика в силах спасти его жизнь! Правда, для этого ей снова придется стать убийцей... Жива ли еще любовь?...

Б.К. СЕДОВ

Рэмбо – первая кровь

Я - БАНДИТ

Культурист

По примеру своего кумира «железного Арни» Влад Невский решил стать известным культуристом и упорно шел к своей цели. Но злая воля судьбы обрушила на его голову череду обманов и бед: у него отняли жилье, лишили куска хлеба, любимая женщина, не справившись с жизненными трудностями, оставила его. В конце концов, Влад оказывается втянутым в криминальные разборки. Злой рок вынудил его стать бандитом, и теперь его зовут Рэмбо. Он умен, силен и дерзок, и скоро о нем узнает весь криминальный Питер!

Бригадир

Отсидев три года на сибирской зоне, Рэмбо с друзьями возвращается в Питер, где в разгаре криминальная война за передел сфер влияния, война не на жизнь, а на смерть. Однако по дороге его подстерегает смертельная опасность. Рэмбо и не подозревает, кто стоит за попыткой лишить его жизни и уничтожить его бригаду. Он и не догадывается, что в этой войне он обретет свою истинную любовь и будет вынужден ее защищать.

Авторитет

Рэмбо – авторитет, известный не только в Питере, но и далеко за его пределами. Оказавшись на вершине криминально-деловой пирамиды, он сталкивается с проблемами такого масштаба, о которых раньше и понятия не имел. Наложить лапу на его бизнес пытаются и спецслужбы, и влиятельнейшие московские политические группировки. Что делать? Согласиться уйти на вторые роли и играть по чужим правилам или отчаянно рискнуть, поставив на карту все - деньги, власть, жизнь своих близких? У Рэмбо есть свой вариант – третий.

Б.К. СЕДОВ

От судьбы не уйдешь

ВОРОВСКАЯ СИБИРЬ

Отшельник

Знахарь, уставший от крови, от потерь любимых и близких, принимает решение начать новую жизнь и уезжает в Сибирь, где надеется обрести свой дом, тишину и покой. Но его мечтам не суждено сбыться, ведь он не может остаться в стороне от несправедливости и насилия и поэтому становится объектом пристального внимания местной криминальной братии и чиновничьей мафии. Кроме того, Знахарь обнаруживает в тайге спецлагерь, готовящий убийц-зомби и становится невольной причиной смерти влюбленной в него девушки. И тогда отшельник выходит на тропу войны...

Отступник

Знахарь не только должен отомстить за смерть друзей, но и выяснить, кто и что стоит за лагерем убийц-зомби. И он начинает свое расследование, все более убеждаясь, что ниточки тянутся в высшие эшелоны власти. Знахарь не может остаться равнодушным и решает сорвать планы генералов-заговорщиков! И вот уже летит под откос взорванный поезд с наемниками, падают сбитые «стингерами» вертолеты, на корм рыбам отправлен главарь местных бандитов. А против Знахаря — не только силовые структуры, но и женское коварство...

Заложник

Знахарь вызвал огонь на себя, и теперь за ним охотятся все — питерская братва во главе с послан-ным в Томск авторитетом, московские генералы-заговорщики, таинственные Игроки, которые пытаются навязать Знахарю свою волю. Враги берут в заложники его друга Афанасия и пытками добывают компромат на Знахаря. Но шантажом и угрозами его не возьмешь, ведь он прошел огонь, воду и медные трубы. Разве что на пути Знахаря вновь станет нежеланная мать его желанного ребенка, уже дважды покушавшаяся на его жизнь...

Б.К. СЕДОВ

Твоя игра — мои правила

ВОРОВСКОЙ ЗАКОН

Мэр в законе

Необыкновенный поворот произошел в судьбе бывше-го зека Андрея Таганце-ва по прозвищу Таганка. После рискованного побега с зоны, чудом оставшись в живых, он возвращается в Москву, мечтая о спокой-ной жизни и тихом семей-ном счастье. Однако его жизнь уже поставлена на кон, а сам Таганка уже в игре, в которой с одной стороны — продавший его вор в законе Соболь, а с другой – ФСБ, которая делает его мэром сибирского города Иртинска. Но Таганцев не собирается быть пешкой в чужих руках. Он — джокер, и даже козырь врагов – его собственная любимая жена, не остановит его!

Месть в законе

Оказавшись под двойным прицелом — ФСБшников и предавших его воров, Та-ганка покидает Россию и оказывается в Японии. Но даже тишина монастыря, в котором он находит временный приют, не может заглушить жажду мести – мести ге-нералу ФСБ Харитонову, сделавшему его жизнь разменной фишкой в игре. Кроме того, Таганка должен вернуться и найти свою жену, свою любимую Настеньку, ведь без нее ему жизнь не мила…

Крест в законе

Поговорка «Меньше знаешь — крепче спишь» сегодня как никогда актуальна для Таганки. Кто бы мог подумать, что сверх-секретные документы служб государствен-ной безопасности окажутся в руках быв-шего зека. И теперь его жизнь не стоит и ломаного гроша. За ним охотятся и ФСБ, и ФБР, и российские олигархи. Только Настя, знающая работу ФСБ не понас-лышке, может спасти Таганцева. Но ока-жется ли ее любовь сильнее долга? И за-чем нужна жизнь, если в ней нет места любимому человеку?!